Gustav Gorky

by Erhard Dietl

高尔奇星球

机器人失控

[德国] 埃哈特·迪特尔 著

王丽丽 译

译林出版社

来认识一下我吧！

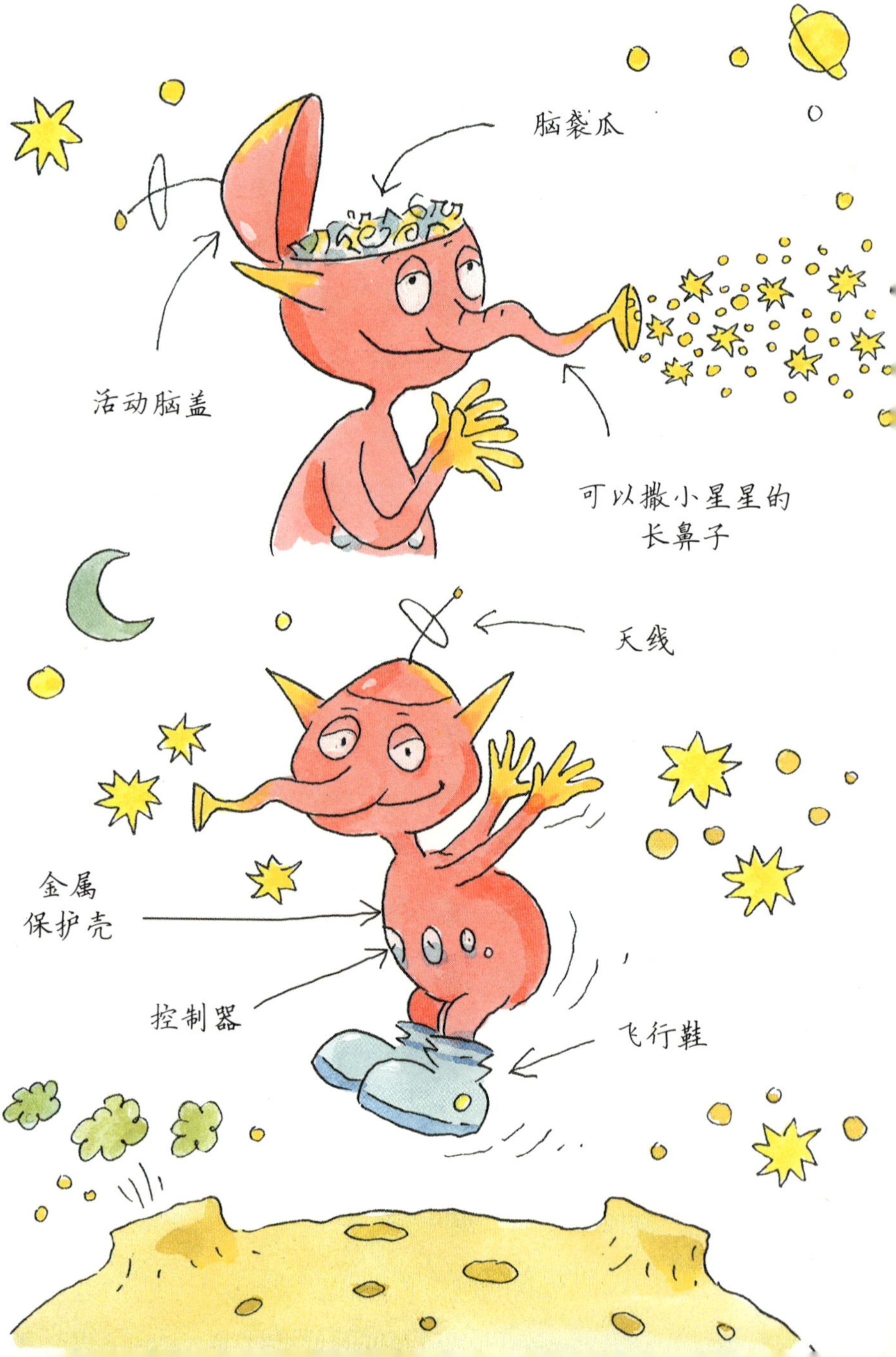

弹簧臂
充电包
减速喷嘴
黑色
激光枪
千里眼
变形开关

我叫古斯塔夫·高尔奇，是一位星际记者，在高尔奇星球的《大爆炸》杂志社工作。我有很多在地球人看来不可思议的能力。我长着一只长长的鼻子，能撒出无数金色的小星星；身体能变形，手臂会伸缩。此外，我还有一双飞行鞋，这样我就能在空中飞翔啦！

我们的高尔奇语和地球语完全相反。所以，我们只需把地球语输进大脑，就能掌握你们地球人的语言啦。

高尔奇语的顺序和地球语刚好相反。只要把每句话从后往前读，你就会发现窍门啦。

举两个简单的例子吧：

1. 嗨，大家好！我是古斯塔夫·高尔奇。

译成高尔奇语就是：

。奇尔高·夫塔斯古是我！好家大，嗨

2. **。历经险冒的上球地在我是的讲书本这**

译成地球语就是：

这本书讲的是我在地球上的冒险经历。

书里的插图都来自我的脑瓜，我用手把它们画在了地球人的纸上。

打开孩子想象力的大门

宣慧敏（童书编辑、阅读推广人）

我来自高尔奇星球，很高兴认识你！

古斯塔夫·高尔奇是一个爱好和平的小外星人。作为一个星际记者，他了解很多星球和星系，需要经常出差。可提到地球，他就不大乐意去了。地球在整个宇宙中的名声不太好，大家都说地球人又笨又好斗，科技落后还执拗。但是古斯塔夫是被派去工作的，他没法选择。

让人意想不到的是，古斯塔夫来到地球后，在一次次的历险中看到了地球人善良、有趣的一面。

古斯塔夫原名Y3，他的同事Y9前往地球工作，不料在地球上失联了。于是杂志社指派Y3去调查Y9的下落。高尔奇人对地球这个“落后”星球的了解并不多，再加上Y9在地球上失踪，初到地球的Y3可谓是草木皆兵，对地球上的东西都充满敌意。所幸他最先遇到的地球人是善良的布家人。他们不但收留了Y3，还给他取了个地球人的名字——

古斯塔夫·高尔奇，昵称“小古斯”。小古斯就这样跟着布家人开始了精彩有趣的地球之旅。

《高尔奇星球》系列是一套适合小学生的入门科幻小说，能满足他们的好奇心，激发他们的想象力，让他们对科幻产生最初的向往和喜爱。孩子的想象力在小学阶段最强大，因此书中新奇有趣的设定对他们来说有巨大的吸引力。比如，高尔奇星球的语言顺序和地球语言相反，需要从后往前读，很多国外家长反映，倒着读高尔奇语让孩子欲罢不能。还有，把外星人的脑袋盖打开输入信息的描写也充满了童趣和幻想。

当然，科幻不能只是幻想。作者在天马行空的想象的基础上，加入了不少随着科技发展可以在不久的将来实现的技术，将“科技改变生活”的想法传递给孩子。比如小古斯通过交换两种食物的成分发明出口味更好的食物，让新款机器人将被撞坏的汽车修复得完好如初，等等。善用科技可以大大方便我们的生活。将这种理念从小根植在孩子心中，也许能培养出未来的科学家。

小古斯初到地球就遇到一系列困难，但他一次次用科技化险为夷，善良的地球人也屡次向他伸出援手。小古斯渐渐改变了对地球的看法，发现这个“落后”的星球也有独特的可爱之处。地球人喜欢美食，喜欢做一些在外星人看来没有意义的事情。小古斯在与地球人相处的过程中，发现这些

“没有意义的事”是对生活的享受。但这些行为有时候会造成各种麻烦，这时就需要古斯塔夫拿出高尔奇人的冷静和理性了。他遇到问题时，总能用客观的态度去研究和解决。

另外，小古斯对地球人的看法也值得每个人思考，孩子们可以试着站在旁观者的角度反思人类自身。故事里，外星人觉得一些地球人习以为常的事很奇怪，比如把钱看得很重，盯着手机屏幕一看就是好几个小时，等等。这样的质疑和思考可以起到一些教育作用，有助于孩子养成独立思考的习惯。

除了故事能拓展孩子的思维，这套书语言幽默搞笑，能让孩子轻松阅读。小外星人诙谐的叙述和色彩明丽、充满童趣的插画相得益彰。作者画出了语言所无法描述的高尔奇人的外貌——跟地球人有点像，却又不那么像，身上还戴着各种各样的高科技装备，一下子就勾起了孩子的好奇心。

《高尔奇星球》的作者埃哈特·迪特尔已出版一百多本儿童读物，他不仅在德国家喻户晓，在全世界也颇负盛名，曾荣获众多奖项，例如奥地利青少年读物奖等。他创作的人物总能给小读者带来欢笑，小外星人古斯塔夫·高尔奇不仅让孩子们的阅读充满趣味，还让他们从小对浩瀚的宇宙产生好奇心和探索欲。

目 录
Contents

第1章　再启地球之旅

为什么我总是身处险境？莫非真有命运这回事？搞不懂。

我们高尔奇星球上的人还无法预知未来。虽然我们的技术人员已经很卖力了，但在这方面仍然没有丝毫进展。如果能预知未来的话，我这次绝对不会选择去地球冒险，至少不会带着机器人去。

如果……如果……如果……地球人就爱这么想！我怎么被他们给传染了呢？唉，地球旅行后遗症！

哪儿来这么多“如果”？事后再聪明又顶什么用呢？

你知道吧，我其实去过一次那个叫地球的蓝色星球，在那儿观察了地球人一阵子。这次星际旅行在我的硬盘里留下了抹不去的痕迹。

我不得不说，地球人的思维能力很有限，学东西也不快。地球小孩为了学知识，还要上好多年学。他们的科技产品就更别提啦，像地球上的自行车、汽车这样的呆瓜发明早被我们淘汰了。

地球人的大脑运行起来有点复杂，里面塞满了各种各样的垃圾信息，所以我有时候会感觉他们的行为很难捉摸。

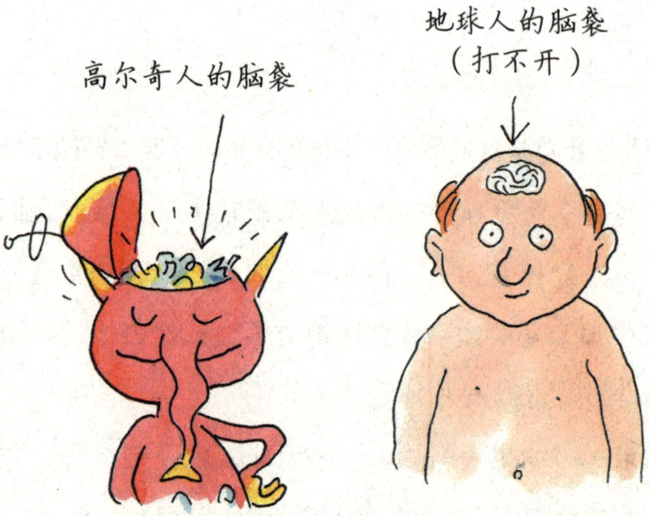

更搞笑的是，地球人对宇宙的了解不多，竟然把自己的星球当成整个宇宙的中心，还不相信宇宙中存在别的智慧生物！

真是天大的笑话！说实话，我在其他星球上都碰到不知多少智慧生物了，多得数都数不过来呢。

地球人以为整个宇宙也就只有一万亿颗星球。其实远比这多着呢！

我居住的星球叫高尔奇。它有地球一半那么大，距离地球也就五光年。

我是高尔奇星球《大爆炸》杂志社的记者。我非常喜欢这份工作——经常出差，可以到处玩玩，还有机会去不同的星球，总能遇到些新鲜事。

前段时间，杂志社编辑派我去蓝色星球，调查地球人的行为和思维方式。告诉你，这活儿可不怎么好干，害得我差点儿丢了小命！还好任务圆满完成。回来后，我写的那篇有关地球食物的文章，一下子就成了杂志社的轰动性报道。

经验告诉我，再落后、再原始的生物都能活得很充实。地球人就是个很好的例子嘛。对他们来说，吃饭可不只是补充能量这么简单，而是一种人生享受。地球人的科技虽然不值一提，但在食品领域他们绝对是顶呱呱的！他们凭借丰富的想象力和卓越的创造力烹饪出各种各样的美食，多得数都数不过来呢！啊，想想都会馋得流口水。其实吧，也就在这一方面，我们还可以拜地球人为师，向他们好好学习一下。在地球上的那段日子里，我用黄瓜练手，厨艺越来越精湛，现在我不仅是星际记者，还是鼎鼎有名的美食专家。

我们高尔奇星球上的食品少得可怜，我们吃东西完全是为了补充能量。于是，我强烈建议《大爆炸》杂志新开辟一个美食专栏。

杂志社女编辑有一次问我：“？栏专食美的辟开新责负能不能您，家学养营兼家食美的名有最上球星们我是可您，事同3Y的爱亲”

翻译成地球语就是：

“亲爱的Y3同事，您可是我们星球上最有名的美食家兼营养学家，您能不能负责新开辟的美食专栏？”

高尔奇星球上只有两种食物：披油和福谷物。它们都是合成食物，富含能量。我正想办法升级一下，再增加几种口味。技术组的人特别支持我，还专门给我建了一个分子厨房呢。

这下子我干得更起劲了。我投入了很多时间和精力，运用高科技，终于研制出谷赐汤、脆皮小吃、芙拉斯威化饼和特力味棒条四种新食品。

这几种食品生产出来后，立马成了高尔奇星球上的抢手货。看到大家吃得津津有味，我心里别提有多高兴啦。不过话又说回来，和地球上的食物比起来，这些根本就不算什么。唉，看来我这个美食家任重而道远啊。

每到木星日，我们杂志社都要开例会，会议由女编辑主持。还是老样子，开会前杂志社的成员先去能量台，给身体充足能量，再精力充沛地去开会。会议室中间有个大磁盘，上面托着一张透明的会议桌。女编辑还没来，大伙儿就坐在桌边各干各的事，等待会议开始。

幸亏今天暖气没出问题。前几次开会，会议室冷得要命。唉，我最怕冷了，寒气钻进我的体内，像个捣蛋鬼似的破坏线路，搅得我心神不宁。

眼下，杂志社的成员也差不多到齐了。噢，对了，我先给大家介绍一下：

Y1是一位非常聪明的科学家，有九只眼睛。他旁边坐的是Y2，她是技术组的负责人。他俩正吃着芙拉斯威化饼，弄得满桌子都是碎屑。

我发现这段时间，大家都很喜欢在开会的时候吃东西。这也难怪，谁让会开得这么久呢。女编辑是个话匣子，只要她一开口，鬼知道什么时候才能停下来。她每次都要东拉西扯，从来不会长话短说。

看大家吃得津津有味，我也忍不住用鼻子拿起一根芙拉斯威化饼，放到嘴里嚼了起来。我一边吃，一边琢磨怎么改进一下它的口味。就在这时，我的脑海中浮现出一根黄瓜。啊！好久没吃黄瓜了，好怀念它的味道呀！

我上次去地球，拿黄瓜做了很多实验，研制出很多不同口味的黄瓜，有香肠味的、草莓味的、土豆沙拉味的，还有巧克力味和鱼味的。可惜高尔奇星球上不长黄瓜，真是巧妇难为无米之炊呀！唉，单凭记忆又不能把这些味道加进芙拉斯威化饼里面，真可惜啊！

噢，言归正传，还是继续介绍我的同事吧。Y4和Y5是地方新闻《扯淡》专栏的记者，面前放着满满一碗脆皮小吃，看起来很诱人。瞧，他俩正不停地往嘴里塞，吃得满脸都是碎屑，也顾不上擦，样子特别滑稽！

Y6是个无聊透顶的地理学家，他正拿着一根特力味棒条啃来啃去。

还有Y8，他是杂志社的元老级人物，此刻正用胖胖的鼻子吸谷赐汤喝，看样子很享受。像他这把年纪，咀嚼肌早老化了，一些硬的东西根本没法吃，也就汤之类的流体食物还能凑合。谷赐汤就是专门为老年人研制的。

Y7是位冒险家，她表情严肃地坐在会议桌旁，对各种美食完全不屑一顾，看上去心事重重的，或许正在计划一次大冒险呢。她酷爱探险，这是尽人皆知的，听说她曾只身探访过宇宙中最危险的角落。由于每次探险都会花很长时间，所以她养成了一个长时间不吃饭的习惯。就连在家里时，她也可以好几周不吃东西。对于探险来说，这无疑是最好的练习了。

噢，我差点就把同事Y9给忘了。

他坐在女编辑旁边，正卖力地敲打着计算器。工作狂！估计他这次还想要老把戏，用一大堆数字吸引编辑的眼球。

他天天装出一副忙得要死的样子，好像杂志社缺了他就要完蛋了似的。他这人爱拍马屁，爱吹牛皮，真不像我们高尔奇人！我们这儿的人一直和睦相处，对人很友好，不爱在别人背后嚼舌根。可我每次看到Y9，心里都很不爽，总想说几句。

这会儿，他坐在会议桌旁，什么也没吃。我一看就知道，他肯定是装的！就是不想承认我研制出来的东西好吃呗！

同事Y11的位置还是空着的。唉！这又让我想起了他那段悲惨的经历。听说他开着太空车，不小心撞上了一块陨石，从宇宙中消失了。自打那时候起，会议室的墙上就多了一张Y11的全息照片。全息照片是什么样的呢？它和普通照片不同，无论你从哪个角度看，它都很逼真，和实物基本上没区别。照片里，Y11正翘着鼻子，亲切地和大家打招呼呢。

噢，还有同事Y10，他早跳槽了，到了高尔奇交通部门，主要负责出租弓牌游览车和卫露牌踏板车。

女编辑终于来了！她飞进会议室扯着嗓子喊：**“！容内要主的议会天今们我下一括概要简先我许允请，们事同的爱亲”**

翻译成地球语就是：

“亲爱的同事们，请允许我先简要概括一下我们今天会议的主要内容！”

还“简要”呢，骗谁呢？当我们是三岁娃娃呀！谁不知道只要她一打开话匣子，那还不得至少两个小时啊！当然我指的是地球时间，其实在高尔奇星球上这也不算什么，可我毕竟得一直待在这儿听她讲呀。唉，好无聊！

编辑把四条胳膊往屁股下面一放，摆好架势，立马叽里呱啦地讲了起来。她每次开口，都不吝惜自己的口水，唾沫星子四处飞溅！谁挨着她，谁沾光！哈哈，那还用问，沾光的肯定是马屁精Y9啦！

我背靠在悬浮椅上，两眼一闭打起了盹儿，也就偶尔听两句。

女编辑
Y11
Y2
Y6
Y9
Y1
Y5
Y4
Y7
我
Y8

编辑马拉松似的演讲刚结束，Y9就接过话头兴致勃勃地说：“我算出了AX和TiN星球的方位！看，这是相关的参数值。”

“什么？”女编辑一时摸不着头脑，看了他一眼问道。

“这是四维空间参数值。我认为，只存在四维空间，不可能有五维。下面我通过一个实例给大家展示一下……”

“不错，Y9！”女编辑打断他的话说，“不过，我看这样吧，你回头总结一下，做个分析报告发给大家，这样每

个人都可以仔细看一看。”

“好！没问题！”Y9得意扬扬地说。

大家伙顿时松了一口气。好险呀！Y9也是个话匣子，要是让他说，还不知道要说到猴年马月呢。他最喜欢用一大堆数字忽悠人，搞得人一头雾水。谁爱听他那一套？

接下来是Y1的报道。他给我们介绍了最新的纳米生命机器人。它很小，能随着血液在体内循环，杀死入侵病毒，预防各种疾病。其实，这种机器人早就有了，只不过现在升级了一下，比以前的先进多了。它能促进细胞再生！这也就是说：只要你不想死，就可以永远活着！

说到这儿，大家伙七嘴八舌地讨论起来。有的人想长生不老，还有的人觉得永远活着也没什么意思。

“生命总得有个头啊！”Y7说。

“可你说了不算呀！”Y8嘟嘟囔囔地说。就是不靠纳米生命机器人，他也活了至少800年了。

“嗯，我看对于咱们的读者来说，这也是个不错的话题呢！可以邀请他们一块儿参与讨论！”女编辑插话道。

就这样，大家你一句我一句，讨论了半天也没什么结果，最后还是不了了之。

“对了，Y3，你在美食方面有什么进展吗？”

终于轮到我了！我把最后一块芙拉斯威化饼咽下肚，慢条斯理地讲了起来："唉，不瞒大家，我正打算升级现有食品，再添儿种口味，不过遇到了大难题……"

同事Y4和Y5嘴里嚼着脆皮小吃，听到我的话猛地抬起头，异口同声地说："啊，这已经够好吃的了！干吗还升级呢？"

"哈，这只是个开始，改进一下会更好吃哟！"我说，"其实，这几天我正琢磨着再去趟地球，最好带上机器人马克波特，它对分析食物很在行，分析完了还能把数据储存起来。还有，它能把地球磁场的磁能转化成动能，不需要定期充电。"

"嗯，想法不错！"女编辑说。

"我打算在食品中增加微量元素、蛋白质和维生素！"我越说越兴奋，"对了，还有矿物质和食物纤维！当然还要考虑食物的味道和口感！"其实，我这次是有备而来的，我要说服编辑让我再去一次地球，"上次去地球的时候，我就发现那儿的美食特别多，尤其是腌酸黄瓜，简直是人间一绝！去地球考察美食，绝对没错儿！"

我的话还没说完，大家就交头接耳地议论起来。

"嗯，不错，Y3！我看没问题！"女编辑不无赞赏地说。

这时，我偷偷瞥了Y9一眼。他装作漠不关心的样子，继续摆弄面前的计算器。哼，谁不知道，Y9这家伙最受不了编辑表扬其他人。这会儿，他准嫉妒死我了！

“那你打算什么时候去呢？”编辑问。

“在技术方面，我已经做好了充分的准备，随时可以出发。”

“你上次去的时候出了岔子，差点儿丢了小命，所以我还是得提醒一下：凡事小心为妙！还有，地球人喜怒无常，诡计多端，这个宇宙人都知道……”

“其实也没你想的那么糟啦！”我连忙说，“你看，我上次不也认识了几个人品很好的地球人，还跟一个小家伙成了好朋友嘛。我打算这次再去找他们。”

编辑看我心意已决，立马派给我一辆最新的科索太空车。哇！好棒！这种车不仅速度快，坐在里面还特别舒服。

啊！真期待这次的地球之旅呀！

我被这个想法冲昏了头脑，压根儿没想到，这次旅行和上次一样充满了惊险！

第2章　小·机器人马克波特

会议结束后，我立即飞往技术部实验室。

刚一进门，我就看到侯悠正忙着修理一架投影仪，三只手忙得不亦乐乎。我飞到她跟前，和她打了个招呼。

实验室里的光很耀眼。在灯光照射下，我猛地发现，侯悠身上的尖角原来这么漂亮！咦，我之前怎么就没发现呢？

噢，侯悠是这所实验室的主要负责人，任务就是设计和制作机器人。

我刚才提到的机器人马克波特，就是她最近的一项成果。

看她放下了手里的活儿，我连忙说："过两天我要去出差了，这次还是去地球。"

"啊？怎么还去地球？"侯悠叹了口气说，"唉！为什么危险的活儿都让你揽下了呢？"

瞧她对我这么关心，我心里别提有多高兴了，只是没表现出来罢了。

侯悠不喜欢长途旅行，要不然的话，我还可以带她一块儿去。太可惜了！

"放心好了，这次肯定没什么危险。"我装作漫不经心的样子说，"虽说地球人不怎么好对付，但我不去惹他们不就行了？既然编辑信任我，派我去，我怎么好拒绝呢？"

"唉！不是都去过了吗？怎么还派你去？难道不能去金星或其他友好点儿的星球吗？"

“那样的话，不就没什么意思了嘛！咱们自己的星球就够友好的了，干吗还去别的星球？你知道，我这人喜欢冒险，地方越危险，对我越有吸引力！”说这话时，我偷偷瞧了她一眼。

其实，我也就随便说说，打肿脸充胖子。说实话，我骨子里还是喜欢过安稳日子。但我怕这样说会让她觉得我这人太乏味，所以故意夸大了一点儿，嘻嘻，但愿这次能给她留个好印象。

看她没吱声，我就继续说：“你看呀，这次我就去做个食品分析，弄完后就赶紧回来，还能出什么岔子？噢，对了，能把机器人马克波特借我用一下吗？听说它对分析食品很在行，刚好能助我一臂之力，你看怎么样？”

“嗯，没问题！”侯悠爽快地说，“没错儿！要说分析食品，没有比它更合适的了！”

说着她脱下手套，朝储藏室走去。我跟着她也走了进去。只见里面整整齐齐地摆放着很多机器人，都是她亲自设计的。

侯悠指着一个机器人，告诉我那就是马克波特。哇——好可爱呀！它圆嘟嘟的，个头不大，拿着很方便。

“马克波特不仅能接受语言指令，还能根据环境自动做

机器人马克波特

出反应。”侯悠解释道，“你别看它个儿小，它可聪明着呢！玩魔方，它花不了四秒钟就能复原，还有……”

“嗯，我听说了。这小家伙可真不赖！”我打断她的话说。

“噢，对了，它还有几个功能，主要用于自我防卫，我觉得有必要和你说一下。”侯悠继续说。

“啊，是吗？还有什么功能？”

“像激光催眠术，不过你大概了解一下就行了，在紧急情况下这些功能会自动启动。说实话，我倒希望你用不上这些玩意儿。”

“嗯，用不上是最好了！”我说。

我拿着机器人和她道了别。一飞出实验室，我立马就激活了体内硬盘上的地球模式，这样能迅速获取有关地球的信息。幸亏上次安装的地球语还没被格式化，你看，知识是没有白学的，这次刚好又能派上用场！

为了安全起见，我去卫生防疫站装了个免疫芯片。虽然我们高尔奇人身体好，一般不会感染什么病毒，但我可不想拿自己的生命开玩笑！说不定别的星球上还有很多未知的病毒，万一不小心传染上还治不了的话，那就完了。

我把背包里的电池充满电，又仔细检查了一遍系统，显示一切正常。

脑袋里的思维处理器没问题，体内的所有系统运行良好。减速喷嘴、变形开关、飞行鞋、天线，一切正常！

最后，我又看了一眼手腕处的变形开关。这个开关非常重要，只要按一下，就能变形。它在地球上肯定能派上用场，我可不想让人家像看妖怪似的盯着我看。在整个宇宙谁不知道，地球人是出了名的胆小鬼，要是看见我这个外星人，那还不得吓个半死！

还有把黑色激光枪，我不知道该不该把它带上，犹豫再三，我决定还是带上吧。其实我们高尔奇人很讨厌使用这种东西，可在地球上什么事都有可能发生。为了保险起见，还是带上吧，危难之际，说不定它还能救我一条小命。再说这把激光枪功能多着呢，它能把很强的能量聚到一个点上，然后穿透墙壁，粉碎物品。瞧，很强大吧！

一切装备整理完毕，随时准备出发！

“！态状命待入进，活激已统系”机器人马克波特用高尔奇语说。它的声音里有咔嚓咔嚓声，看来侯悠也没好好给它优化一下。

现在机器人小伙伴也准备好了！随时可以去地球喽！

“好极了！”我对它说，“希望咱俩合作愉快！”

“嗯！”机器人马克波特说着，还非常有礼貌地向我鞠了一躬。

我发现机器人在思考和说话时，头上的灯都会发出绿光，就指着它的灯好奇地问：“你……你没事吧？”

“当然了，这还用问？你这个问题好傻气！”机器人回答，“一切正常！程序设计非常完美！”

我突然意识到它说的不无道理。刚才那个问题，我完全没经过大脑思考，就随口说了出来。咦，这是咋回事？只有地球人才这样呀！噢，我想起来了，我刚才启动了地球模式，现在思维已经被地球人同化了。真糟糕！

“噢，我刚才只是随便问问。”我立即改口说。

“啊，随便问问？哪有这回事！”机器人疑惑不解地说。

“没有的事！别提了，还是把刚才的话忘了吧！”我非常尴尬地说。

“忘了？凡是我听过的话从来不会忘，我可没有‘遗忘’这个程序！”机器人生硬地说。

听到这话，我倒暗自高兴起来，看来这次选机器人马克波特真是明智之举。从今天起，它就是我的小跟班了，什么事都帮我记着，省得我再费脑筋了。这家伙真不赖！有了它，我这次去地球就胜券在握喽！

第3章　出发

地球人一直把光速视为宇宙中最快的速度，说出来不让宇宙人笑掉大牙才怪！我的科索太空车靠中微子驱动，速度远远超过光速，甚至是光速的好几倍呢！这可是令我们星球上的技术人员非常骄傲的成就。

坐上太空车，我先设置了一下导航仪，输入此行的目的地：地球东经11度，北纬48度。这正是我上次降落的位置。

我打算谨慎一点儿，这次还是降落在布家人的花园里。这家人很友好，上次就帮了我的大忙。说起来我还真有点儿想念他们呢，尤其是那个小家伙布鲁诺。人家都管他叫“小胖墩”，我觉得这绰号挺可爱的，可他每次听到都会发火。真有意思！啊，一会儿就能见到他了，好开心呀！

我对机器人马克波特说：“我们要降落到布鲁诺家的花园里。”

“遵命！”机器人回答，“需要搜集这家地球人的信息吗？”

“不用了，我和他们很熟。这家有四个人：布爷爷、布爸爸、布妈妈和布鲁诺。”我解释道，“他们的房子是用石头建的，花园里有个小屋。对了，他们家还有几只宠物，叫小猫咪。它们浑身是毛，身子下面有四条小短腿，屁股后面翘着一根长长的尾巴。”

“好的，全都记下来了。还有别的信息吗？”机器人问。

“嗯！”接着，我又谈到了布鲁诺一家人的日常生活和他们的小吃店。马克波特坐在我旁边聚精会神地听着。这会儿，我发现它头上的灯变成了浅绿色。

我刚讲完，机器人便问：“有需要我帮忙的吗？”

“噢，没有！”我回答。

“那我就进入待机模式了。”它说。

接着我靠到舒服的驾驶座上，休息起来。机器人头上的绿灯变暗了，看来它已经自动进入省电模式。看着这个可爱的小家伙，我突然感觉心里暖暖的。

目前，我们高尔奇星球的飞行器大多是用小行星上的钽[①]制造的，这是一项最新的发明。钽是一种质地非常坚

① 钽（tǎn）：银灰色的金属，有极好的延展性和耐腐蚀性，多用于制造电器元件等。

硬的金属，用它制造的飞行器坚不可摧，可以在太空中自由飞行，不会有丝毫损伤。我们这样做也是有原因的。要知道，太空可不怎么太平，有很多小行星、流星陨石、细小微粒、太空垃圾等，倒霉的时候，不小心撞到一块儿，还有可能会引发大爆炸。这可不是闹着玩儿的！

“好了，别瞎想了！”我自言自语道，“还是好好休息一会儿吧！”

话是这么说，可我心里还是乱糟糟的。不知为什么，我又想起了同事Y11，他几年前开着太空车，撞上了一颗陨石，顿时粉身碎骨。那会儿如果我们的科学家能想到用钽来制造飞行器，就能避免这场灾难了。自打那时候起，我们就只能在照片上看到他了。

科索太空车在宇宙中平稳飞行。我不经意间看向窗外——哇，好漂亮！原来车子正穿过美丽无比的银河。远

看银河仿佛一条乳白色的缎带。无数颗小星星正调皮地眨着眼睛，在漆黑夜幕的衬托下显得有点神秘。

不过我心里很清楚，眼前的美景只是表象，一点儿都不真实。因为银河里暗藏着许多黑洞，深不可测，一旦掉进去可就别想再出来了。除了黑洞，银河里还有一些气体星球，威力也超强，如果不小心撞上，立刻就会尸骨无存。

就在这时，我的思绪又飞到了福波斯星球。它是火星的一颗卫星，上面有很多“博学虫”。为什么叫博学虫呢，顾名思义，这种昆虫特别聪明，并且善于学习。从外形上看，它们很像地球上的蚱蜢，不过它们会直立行走。我知道，侯悠非常喜欢这种昆虫，在家里养了很多当宠物，没事儿的时候就教它们说高尔奇语。她着了魔似的搜集这种昆虫，还给它们建了很多小房子，布置得既温馨又惬意。

到底要不要去福波斯捉几只博学虫呢？我转念一想，还是算了吧！这次去地球任务艰巨，中间可不能出什么岔子。时间宝贵，还是先去地球吧！等回来的时候，可以给她多弄几只。

我给科索太空车挂了自动挡，这样就不用管它了。车里面也还算舒适。想到马上就能见到布鲁诺，我心里别提有多高兴啦！我靠在软软的座位上，打开按摩器，舒舒服服地开始享受按摩。耳边传来一阵阵美妙的太空音乐。

啊，在无边无际的太空中遨游，可真是不错的体验呢！

在路上，我又检查了一下变形开关，还给杂志社美食专栏写了篇文章，提到了这次的地球之旅。稿子写完后，我又拿出电子日记本，记录下这次太空飞行的经历。最后我用无线电收发器给编辑发了条信息：

：辑编的爱亲

。常正切一，河银达抵现，发出已我

。待期满充行旅次此对

。您候问心衷

3Y

忙完这些事后，我把主机调成省电模式，心满意足地打起了盹儿。

到现在为止，一切进展顺利。科索太空车平稳飞行，我们正靠近地球。在接触地球大气层的一瞬间，太空车剧烈地晃动起来，还好只是虚惊一场。地球时间早上8点23分16秒，我们准确降落在布家花园的树梢上，没弄出半点儿声响。

第4章　与布家人重逢

科索太空车迅速根据环境改变颜色和形状，它完美的伪装能躲过任何人的眼睛。我和机器人马克波特从车里爬了出来，迎面扑来一股寒气，我禁不住打了个寒战。

天色灰蒙蒙的，还有数不清的小水珠从天上落下来。这是什么？落在身上感觉凉凉的。说实话，我可不喜欢这样的“欢迎仪式”！上次来的时候情况不是这样呀！我还是喜欢暖暖的感觉。如果气温降到零下五摄氏度的话，我的大脑就会自动进入休眠状态。我明明记得上次来的时候这儿很暖和呀！唉，来之前我还挺期待的，没想到……真是搞不懂！不过，还好气温没降到零下五摄氏度。虽说冰冷的空气让我有点儿小小的失望，不过想到那些美食，想到可爱的黄瓜，我一下子就提起兴致来了！

我环视四周，一眼就认出了花园里的小屋，还有布家人的大房子。咦，布爷爷的割草机哪儿去了？好奇怪，上次来的时候，明明就在草坪旁边放着呀。

很快，我看到了布家人。他们正围着一个铁东西转来转去，好像是在往里面塞东西。布妈妈手里握着一根细长的铁管子，管子上面顶着一个半圆形的罩子，看样子是用来挡水的。哈，这种呆瓜发明也就地球人能想得出来。

布鲁诺最先看见我，激动地大喊：“啊——不会是做梦吧？我好像看到了小古斯！”他目瞪口呆地看了我一会儿，揉了揉眼睛，用力掐了自己一把，然后才欢呼雀跃地朝我飞奔过来。对了，“小古斯”是这家人给我取的昵称，我的全名其实是古斯塔夫·高尔奇。

布妈妈看见我，尖声大叫道：“妈妈咪呀！小外星人又来啦！”噢，对了，“妈妈咪呀”是意大利语，意思是“我的天哪”，布妈妈特别爱用这个词儿。

“哈哈，没错，看来她还记得我。”我心里美滋滋地想。

“哎哟，没想到咱爷儿俩又见面啦！”布爷爷朝我大声喊道。只见他还是满脸胡子，一副笑嘻嘻的样子。

布爸爸也是一脸惊喜。他揉了好几次眼睛，才半信半疑地慢慢朝我走过来。我连忙伸出弹簧臂去和他握手。幸好我还记得地球人的问候方式。

机器人马克波特灵机一动，也向布爸爸伸出短短的小手臂。握手时，它的眼睛还一闪一闪的。

它生硬地说道：**“。手助好的呱呱顶是可我，上球星色蓝在，特波克马叫我”**

马克波特说的是高尔奇语，也难怪布家人一个字儿也没听懂。

“很高兴能再次见到大家！”我用绝对标准的地球语说，“希望你们的小吃店生意兴隆！”说到这儿，我的脑海中又浮现出各式各样的美食。哇，好期待呀！

我开门见山，直截了当地说：“其实我这次来，主要是想分析一下你们的美食。机器人马克波特是我带来的小助手。”

“好酷！”小布鲁诺看着机器人啧啧称赞道。

“嗯，这主意不错！”布爸爸说，“要不还住我们这儿？没事的话，还可以去小吃店帮帮忙。”

“啊？这……这怎么……我们不是一会儿要去度假吗？”布爷爷连忙说。

“放假喽！去度假，去度假！”小布鲁诺激动地跳来跳去，拍着手嚷嚷道。

这是怎么回事？我有点儿摸不着头脑，于是疑惑地问：“啊，什么是度假？我硬盘上没有储存这个词。和我有

布家人
头发
眉毛
布爷爷
布爸爸
耳饰
布妈妈
布鲁诺

关系吗？”

“咦？”布爸爸挠挠头笑着说，“没什么，没什么，跟你没关系。度假就是不用工作，嘻嘻！我刚才看到你，一激动，竟然把度假这事给忘了。其实，我们正打算去意大利玩两周。”

“唉，德国的天气简直糟透了，都三周没见太阳了！我看，过不了几天，我就要发霉喽！”布爷爷说。这番话搞得我丈二和尚摸不着头脑。他到底什么意思？他说的好多词儿，我的存储盘上都没有。语言长时间不用还真不行！唉，我以为自己的地球语已经很棒了，原来是太过自信了。

“哇！要去意大利喽！要去海边喽！”布鲁诺兴奋地大喊。

可我还是一头雾水，弄不明白他为什么这么高兴。好了，不管怎么说，这肯定不是坏事，光看他们的表情就知道了！我感觉他们身上散发出一股很强的正能量。

“意大利？”我谨慎地问。

“它是一个国家，就在地中海旁边。那儿可暖和啦！”布妈妈连忙向我解释道。

“哈哈，没错，到处都是阳光，到处都暖洋洋的，舒服极了！”小布鲁诺说。

嗯，听上去不错！我心想。可我这次来地球主要还是分析食物，不是度假，于是我谨慎地问：“意大利有吃的吗？”

这话可把布家人给逗乐了。他们一个个捧腹大笑起来。

“有吃的吗？哈哈，当然啦！这还用问？那儿满大街都是吃的，有香喷喷的比萨饼，还有美味的意大利面！”

机器人听到大家的笑声立马慌了神，它以前没听过这种声音，不知道发生了什么事，头上的灯也紧跟着变成了红色，身子还不停地转来转去兜着圈，就像一只追着自己尾巴不放的小猫咪。

“怎么了？什么情况？”它连忙问，还做出随时准备攻击的样子。

机器人连忙问：
“怎么了？什么情况？”

看来机器人无法识别地球人的笑声，于是启动了自我防御系统。

“没什么，没什么！”我安慰道，“笑声是一种和平的信号，用不着大惊小怪！”

“好的，笑声已保存！”机器人一板一眼地回答。

“小古斯，和我们一块儿去意大利度假吧！”布鲁诺转向我说道。

“嗯，好主意！我赞成！”布爷爷笑着说，“这回下象棋又有伴儿啦！”

布家人齐刷刷地看向我。

其实，我也特想去个温暖的地方。再说啦，那儿不是也有很多好吃的吗，这怎么能错过呢？

第5章　撞车

大家伙一股脑儿钻进那个四轮玩意儿里。里面很挤，一点儿也不舒服。地球人管这东西叫“汽车”。布爸爸坐在驾驶座上，布妈妈在他旁边坐着。后座上是小布鲁诺和布爷爷，他俩中间还塞着一个大箱子、两个旅行袋和其他一些杂七杂八的东西。

“哎呀，小古斯没地方坐了！怎么办啊？”布妈妈皱着眉头说，“这破车有什么好的，挤死人啦！”

其实，这对我来说倒不是什么大问题。我是谁啊，鼎鼎大名的小古斯喔！我的宝贝多着呢。现在，变形术展示秀——变形开始！我轻轻一按，只听啪啪几声，行李立马变小了，这样不就腾出地儿来了吗？

“哇！小古斯改天也教我两招吧！”布爷爷说。

这下车里面有空了，我和机器人也钻了进去。

“妈妈咪呀！”布妈妈大喊，“我的钱和太阳镜还在那个红色包里！”

“没事，不用担心！”接着，啪啪两声，那个包又变回了原样。我把它递给了布妈妈。她连忙从我手里接过包，抱到了胸前。

车子终于开动了！呼啦啦，意大利之旅开始喽！

起先，车子在光滑平坦的路面上行驶，地球人管这个叫“马路”。“马”是地球上的一种动物。以前地球人经常乘坐马拉的车，所以我猜，马拉车驶过的路慢慢就成马路了。自从有了汽车，马车就被淘汰了，但“马路”这个词还是沿用了下来。

不一会儿，车子就驶到了高速公路上，路面顿时宽敞了许多。这会儿，高速公路上的车还不多，我们一路畅行无阻。

不过，地球上的交通工具还是没法和我们高尔奇星球上的相比。我们运用高科技，不仅研发出很多现代化的交通工具，还修建了磁悬浮光能轨道。像汽车这种呆瓜发明在我们那儿早被淘汰了！我们现在用的是太空滑翔机、太空投掷舱、光能飞机和球形运输车。噢，对了，还有卫露牌踏板车。这种车轻便灵巧，就是速度太快了，有时候让

太空滑翔机
卫露牌踏板车
光能飞机
太空投掷舱
球形运输车
四只轮子紧贴着地面
尾气
地球人的车

人躲闪不及。

没过多久，高速公路上的车子就多了起来。我心里一直很纳闷，这么多车挤在路上竟然没有撞到一块儿，还有，车子和地球人一样，紧贴着地面，根本就飞不起来。

“这车可是奔驰E系列哟！”布爸爸非常自豪地说，“发动机是老了些，不过开起来感觉还是挺不错的！”唉，就这蜗牛般的速度，布爸爸还好意思夸口，我也不说什么了，就装作什么也没听见。

我向车窗外看去，发现了很多新奇的东西，连忙把它们保存到脑袋里的硬盘上，时不时地再拍几张照片发送给《大爆炸》杂志社。

“唉！咱们什么时候才到意大利啊？”布鲁诺不耐烦地问。说话的时候，他还拿着一个小型电子游戏机，不停地用手指按来按去，游戏机发出嘟嘟嘟的声音。

“大概还要五个小时。”布妈妈说。

“我们今天赶了个早，本来想避开车流高峰期，可是你们瞧瞧，现在路上还这么堵！烦死人了！”布爷爷嘟囔道。

我发现很多车从我们旁边疾驶而过。布爸爸实在忍不住了，大声骂道：“哼，逞什么能？”

又过了一会儿，路上更堵了，我们前后左右都是车，挪都挪不动了。

“该死！”布爸爸嘟囔道。说完，他按了一下方向盘旁边的一个按钮，忽然从里面传来吵闹的地球音乐，就像歇斯底里的呐喊，真是难听死了，根本没法和我们高尔奇音乐相比！

布妈妈闲着无聊就对我说：“小古斯，给大家讲讲你们高尔奇星球上的新鲜事儿吧！”

接着我讲了很多家乡的事情，还回答了他们这样那样的问题。但是有一些东西无论我怎么解释，他们都死活理解不了。唉！怪不得人家都说地球人理解能力差呢，这回可让我见识到了。

幸好我还带了几张高尔奇星球的照片。当我指给他们看我的房子和里面的设备时，他们都看傻了。

“哇，好酷！”小布鲁诺喊道。

“嗯，真棒！”布爷爷满脸羡慕地说。

布妈妈接过话说：“妈妈咪呀！真是难以置信！”

正在开车的布爸爸一听这话，连忙把头扭过来，想看看我的照片。就在这时，前面忽然传来砰的一声。

不好，撞车了！布家人的车子撞到了前面那辆车。

“真倒霉！”布爸爸生气地说。

其他人也跟着抱怨起来。布鲁诺高声尖叫道：“别吵了，别吵了，烦死了！快想想办法呗！我要去意大利！我要去意大利！”

“你们待在车里别动！”布爸爸命令大家。他走下车，想看看车撞成什么样了。布爷爷才不管他刚才讲的话，也跟着下了车。

“唉，老爸今天怎么啦？关键时刻掉链子！”这会儿，布鲁诺倒数落起爸爸来了。

“现在说什么也晚了！我看就是车身有点变形，也没什么大不了的。”布妈妈说。

我坐在车里，感觉气氛不大对头，有一股很强的负能量。

其实，车撞得根本不厉害，车身变形很容易维修的，让机器人马克波特来帮忙好了。

“伙计，这下有你的活儿了！”我对机器人说。

“请报指令！”机器人一板一眼地说。我向它大概解释了一下眼前的情况，说完打开车门把它放了出去。

车外面站着几个地球人，气鼓鼓的样子，看到从车里钻出来一个机器人，个个吓得目瞪口呆。

为了不引起更大的恐慌，我看自己还是乖乖地待在车里面吧。其实我也可以缩小身体，或者变成其他的样子，不过为了节省能量，我看还是算了。再说，光机器人就能摆平这件小事，根本不用我再抛头露面了！

不出两分钟，机器人就把车子修好了。它又回到车里，坐到后座上说：“任务完毕。还有其他吩咐吗？”

“噢，暂时没有了。”我回答。

接着我对布家人说：“咱们还是继续赶路吧！”

布爸爸吃惊地说：“没想到，这小机器人还真行！哈哈，快瞧瞧那几个家伙，都吓呆了。”

布爷爷也很吃惊，嘟嘟囔囔地说：“我都活这么大把年纪了，还从来没见过这种事！你还别说，机器人就这样拉了一下铁皮，一眨眼的工夫，车身就恢复了原样，真是不可思议！这事要不是我今天亲眼所见，你就是再怎么说，我也不信。”布爷爷一边说，还一边模仿机器人刚才的样子，惹得大伙哈哈笑个不停。

“是啊，可别小瞧机器人！它虽然个头小，但能耐大着呢！”我夸它的时候，根本没想到它后来竟然给我惹出了一堆麻烦。

“是谁造的机器人？”布鲁诺好奇地问。

我告诉布家人："侯悠是我们星球上最好的技术员！"

“是侯悠，她是我们星球上最好的技术员，设计了很多机器人！”

“哇，好棒！好棒！”布鲁诺拍着手大喊道。真搞不明白，这小家伙怎么这么容易兴奋？

第6章　二星宾馆

还好刚才的事是虚惊一场，总算过去了，车子又在高速公路上飞速行驶起来。大家的心情也跟着好起来，布爷爷还乐滋滋地吹起了口哨。

车子还是一直紧贴着地面，丝毫没有要飞起来的迹象，于是我忍不住说："要不把车子转化成能量，传送到目的地，这样能节省不少时间。"

"什么？转化成能量？"布妈妈吃惊地问。

"哇，好主意！我在科幻电影里看过。简直是酷呆了！"布鲁诺兴奋地大喊。

"其实，这在我们星球上早就不是什么新鲜事了。我们老早就掌握了转化技术，可以把物质转化成能量，直接传输到目的地。"我解释道。

"噢，妈妈咪呀！"布妈妈吃惊地说，"人也可以转化成能量进行传输吗？"

“嗯，可以的，要先把人分解成微粒，再继续分解直到变成能量。这样，只要一会儿，就能把他传送到想去的地方。等到了目的地，再把他恢复原状。”

“这样不疼吗？”布妈妈忧虑地问。

“有创意！”布爷爷说，“可惜我们地球上还没这种高科技。”

“嗯，是很有创意，但最主要的是非常实用。”我接着说，“不过，很多高尔奇人对这种科技非常怀疑，毕竟高科技也有行不通的时候，我就听说，有些人到了目的地后怎么也恢复不过来，就这样从宇宙中消失了。”

“啊，那还是算了吧！我看还是开车保险点儿。”布爷爷叹了一口气说。

他的话也有道理，汽车虽然跑得慢，但毕竟还是安全些。我看向车窗外，正琢磨着高科技的利弊，忽然布爸爸踩了个急刹车，这时我看见一道金属障碍横在车前，旁边有个小房间，里面坐着几个地球人。布爸爸拿出一些纸币和硬币递了过去，然后我们才被放行。

布爷爷看出了我心中的疑惑，解释道：“这是过路费。走这条路，要交钱。路是人家修筑的，我们使用的话肯定就要交钱啦。”

唉，还有什么过路费！搞得可真复杂！

没过多久，我们就到了一个高速公路服务区。

“饿死了，饿死了！”布爸爸嚷嚷道。

“我要来杯咖啡提提神！”布爷爷说。

“我要冰激凌！冰激凌！”布鲁诺一下子来了劲儿。

看样子布家人打算在这儿吃点东西，补充一下能量。

布鲁诺还要尿尿。

我现在总算搞明白“尿尿”是什么意思了，就是把体内多余的水分排出去。真奇怪！我们高尔奇人就没这个习惯。我们吃进去的东西都能被完全吸收，根本不会产生多余的物质。

“小古斯，待在车里别出来，我们一会儿就回来。”布爸爸对我说。

“回来时，我给你捎个冰激凌！”布鲁诺向我许诺道。

我只好乖乖地待在车里等。没过多久，布家人就回来了。布鲁诺津津有味地舔着冰激凌，手里还举着一个给我的。只见一个火炬形的杯托中，放着两个彩色的小冰球。

看他美滋滋地吃着，我也忍不住啃了一口。刹那间，一股寒气钻进我体内。我禁不住打了个寒战，心想：这东西能吃吗？这么凉，怎么吃呀？我可受不了！吃了一口我就再也不想吃第二口了。

冰激凌——地球人的食物

机器人见到冰激凌立马说："分析食物！"

"等一下！"我连忙对它说，"这东西不好吃，还是算了吧，不用分析了。"

我猜高尔奇人肯定不喜欢吃这么凉的东西。

噢，我想起来了，上次来地球的时候，我吃过冰激凌，还是在布家人的小吃店里，我缩成一丁点大，所以就尝了一点点。

"谢谢你给我买冰激凌！"我对布鲁诺说，"可惜这东西太凉了，我受不了！"说着我又把冰激凌还给了他。

“没关系！那我就不客气啦！”他一眨眼的工夫就把两个冰激凌都解决了。

三小时十四分钟后，我们终于抵达目的地。

“这儿的宾馆还不错！比宣传册上画得漂亮多了！”布爸爸满意地说。

“哇！好漂亮！”布鲁诺惊喜地喊道。

“要是房间里有个迷你吧台就好啦！”布爷爷说。

“快，小古斯，赶紧变小点儿，别让人家看见了！”细心的布鲁诺提醒我。

“谢谢你的建议，小布鲁诺！其实我早就想到了。”我说。

地球人没怎么见过外星人，神经太脆弱。他们见了外星人总是大惊小怪的，我可受不了！

我赶紧按了一下变形开关，啪啪两声，我的身体开始从下往上慢慢变小，最后缩成一丁点儿大。变形成功！接着我把机器人也缩小了。布鲁诺可以把我们放在手里或口袋里，这下子就不会引起地球人的注意啦！

他的上衣前面刚好有两个口袋，我和机器人一人占了一边。嗯，这个位置还不错！视野很好！

“哇，两周的假期！真好！”布妈妈高兴地说，“可以好好放松一下，躺在沙滩上晒晒太阳！什么事也不用想，什么事也不用做，太享受了！”

我的天哪！整整两个星期，什么事都不做！我真搞不明白，这有什么好的！

哇，这儿果真比德国暖和！我情不自禁地说：“好舒服！”说着我用长长的鼻子，大口大口地呼吸着温暖的空气。

“沙滩在哪儿？”布鲁诺问。

布妈妈大声喊：“谁来帮我搬一下行李？”

她从后备箱中把行李一件件拖出来，布爸爸和布爷爷赶紧跑过来帮忙，小布鲁诺抱着那些缩小的行李，大家一块儿走进了宾馆。

宾馆是一座石砌的高楼，里面有很多地球人。不过我很快发现他们说的话和布家人不太一样。咦，这也是地球语吗？我怎么听不懂呢？好奇怪！

布鲁诺告诉我："在整个地球上，有很多很多种语言。"

"那你都储存了吗？"我问。

"没有！这么多，怎么可能都学会呢？我只会一点儿英语，但是在这儿人们都说意大利语。"

"我们高尔奇星球可没这么复杂，我们只有一种语言，就是高尔奇语。"

"这样啊，我们地球上总共有几千种语言呢！"布爷爷略带自豪地说，"不过还没有人会说所有的语言。"

真有意思！一个小小的地球竟然有这么多种语言。不过更有意思的是，他们竟然不能完全掌握这些语言！唉，地球人的脑袋真是木头！

我们住的宾馆叫"米拉马雷"。门口站着几个地球人，天哪，他们穿着衣服就和没穿一样，随便搞了几片布系在身上，真有创意！

我们挤进一个狭小的金属隔间。布爸爸按了一个按钮，这个小隔间就开始上升。不一会儿，我们就来到四楼。布鲁诺告诉我这是“电梯”。

我们预订了两个房间。布爸爸、布妈妈和布鲁诺住大点儿的那一间，我和机器人睡在他们的浴缸里。布爷爷一个人住另外一间，在拐角处，离我们这儿有点远，不过也是在同一层。

来到房间，我和机器人赶紧恢复原样。我把行李也变了回来，变形的时候发出了啪啪啪的声响。

“天哪，小古斯，怎么这么响呢？”布妈妈吃惊地说。

“不好意思，吓到你了！”我说，“这个实在没法避免，请原谅！”

机器人目前还处于待机状态。我走到哪儿，它就跟到哪儿，和我寸步不离。

不过眼下也没有它可以做的事。我俩只好来到浴室，舒舒服服地躺在浴缸里。整洁明亮的浴室，看着就让人感觉很舒心。我突然想起了高尔奇星球上的技术站，还有亲爱的侯悠……

我正沉浸在甜蜜的回忆中，突然听到布鲁诺在外面大喊："唉，这个房间真差劲！连大海的影子都看不到嘛！"

布爸爸和布妈妈也跟着嚷嚷起来。咦，刚才不都挺高兴的嘛，怎么一下子火气都上来了？地球人还真是喜怒无常！

"是啊，明明就是骗人的！外面就一个破停车场！压根儿就看不到蔚蓝色的大海！"布妈妈喊道。

"唉，我的房间里也没有迷你吧台！要渴死我老人家吗？"布爷爷抱怨道。

"啊！怎么连电视都没有？活不下去了！活不下去了！怎么看世界杯啊？"布鲁诺哼哼唧唧地说。

世界杯是什么？我心想，还好反正不关我的事。

"别吵了！"布爸爸这会儿插话说，"我们订的宾馆也就是个二星级的！拜托！你们自己想想吧，能好到哪儿去？我早就说过，别抱什么希望！好啦，别再叽叽歪歪地吵了，烦不烦呀！让我耳根子清净一会儿吧！开了一天车，都快累死啦！现在——我正式宣布：度假开始！"

接着我从浴缸中飞出来，把浴室的门小心翼翼地关上了。我也想耳根子清净会儿。我从背包里拿出无线电收发机，准备先给杂志社发条信息，报个平安。

：辑编的爱亲

。逢重人家布和，球地达到利顺已我

。定搞能就快很我，心放请过不，物食析分没还

！利顺切一，好很气天，家国的暖温个一到来们我

！愿祝的好美去送您给缸浴从

3Y

第7章　陌生的地球女人

夜里，布家人睡在软绵绵的垫子上，他们每天都要睡觉，以此补充能量。我可不用天天睡，只需三周左右充一次电就行了。闲着没事，我拿起电子日记本，把今天的行程和经历记录下来。

写完后，我看到浴室里放着几个大大小小的袋子，看上去很好玩，就兴致勃勃地研究起来。袋子里放着很多小东西，看样子是用来清洗和护理身体的。真奇怪！地球人的身体好像会自动产生异味，因此需要每天清洗护理。

我们高尔奇人就好多了！身体一直很干爽，从来不会有异味。

浴缸上方有一个把手和一根长长的管子。我不知道这是干什么用的，就往上推了一下把手，没想到，刹那间水哗哗地从管子里流了出来，可把我吓死了！我猜这水可能是地球人用来清洗身体的。

我发现布家人睡觉前必定来一趟浴室，把稠乎乎的膏状东西捏到小刷子上，然后把小刷子放到嘴里来来回回地刷。咦，这膏状物难道是宵夜？想到这儿，我忍不住挤了一点儿尝了尝，甜甜的，不过感觉不怎么像吃的东西，我也就没让机器人来分析。

第二天一大早，我和布家人一块儿去餐厅吃早饭。和昨天一样，为了不让别人瞧见，我和机器人又缩成一丁点儿大。

早餐有流状食物和固体食物，像卡布奇诺咖啡、橙汁、果酱面包、牛角面包等。我悄悄告诉布鲁诺，机器人要分析这些吃的东西，他便弄了一点儿橙汁、卡布奇诺和面包，放到机器人面前。这时，机器人头上的绿灯又亮了，它打出一束光开始分析起食物来，接着就把分析结果保存到了硬盘上。你还别说，机器人工作的样子还是蛮可爱的。

我们餐桌旁坐着一个女地球人，本来我没有注意到她。后来我看她不停地朝布爷爷抛媚眼，顿时觉得这人有点儿可疑。

布爷爷冲她笑了笑，看样子对她也有好感。吃完早饭后，他们两个人还聊了一会儿。

一个女地球人正朝
布爷爷抛媚眼。

不知怎么回事，我隐隐觉得她不是好人，但布家人一点儿反应都没有。

“哈哈，看来你还是挺有吸引力的嘛！”布妈妈对布爷爷说。

布爷爷有点尴尬，随便回了一句：“我们也没说什么，她就告诉我她叫马姬。”

“这么高贵的女士，我看了也喜欢。”布爸爸说。

布妈妈听后，恶狠狠地瞪了他一眼说：“不要给我没事找事！”

布鲁诺吵着要去海边玩，他把我和机器人放到泳衣口袋里，大家一块儿朝沙滩走去。

其实，我在很多星球上都见过大海和沙滩。我见过的沙子有红色、蓝色和银白色的。在我们高尔奇星球上，沙子看上去像水晶，但是这儿的沙子是浅褐色的。

一来到沙滩上，我就蒙了。天哪！到处人头攒动，人们穿的衣服都特别少。那场面可真壮观！布家人连忙脱掉穿在外面的衣服，加入到这一奇怪的队伍中。

我从布鲁诺的口袋里飞了出来，坐在沙滩上东瞧瞧、西看看。

只见沙滩上整齐地摆放着很多躺椅和蘑菇状的大伞。布鲁诺告诉我，那些伞是用来遮挡紫外线的，因为皮肤暴露在太阳光下，很容易晒伤。

布妈妈从泳衣口袋里拿出一支防晒霜，笑着问我："小古斯，要不要涂点儿？"

"我们高尔奇人从来不涂这玩意儿。"

这群地球人可真奇怪，明明害怕阳光，还故意在这儿晒。

不过，我发现也有些人直接暴露在阳光下，根本不担心皮肤会晒伤，而且看样子他们还很享受。这些人的皮肤红得像刚煮熟的大虾。难道红皮肤的地球人天生不怕阳光？会不会还刀枪不入？

穿得很少的地球人。

这时，我突然发现马姬就躺在我们旁边。还记得她吗？就是吃早饭时向布爷爷挤眉弄眼的那个女地球人。

“能帮我在背上涂点儿防晒霜吗？”她微笑着问布爷爷。

“当然可以呀，很乐意为你效劳！”布爷爷说，“瞧今天的阳光这么强烈，可不是闹着玩儿的！”

说着布爷爷走过去，帮她涂起了防晒霜。

“正中他下怀！”布爸爸瞅着布爷爷，不怀好意地说。

“哼，多管闲事！快给我在背上涂点儿！”布妈妈生气地说。

涂完防晒霜后，布爷爷和马姬聊了起来。两个人不时哈哈大笑，看样子聊得很开心。

布鲁诺四仰八叉地躺在垫子上，小声对我说：“唉！小古斯，可惜你不想让人家看见，要不然咱俩就可以在沙滩上玩球了。噢，对了，你不是会变形吗？变成个地球人，咱俩一块儿玩吧！”

“唉，不行呀！”我对他说，“我只会缩小，或者变成植物，或者其他没生命的东西。”

“没意思！植物又不能和我玩球！”布鲁诺嘟嘟囔囔地说。

过了一会儿，他从口袋里掏出魔方玩了起来。不过他转来转去，也不能把它复原，我便小声对他说：“嗨，小布鲁诺，这玩意儿机器人几秒钟就能搞定。”

“啊？真的？它还有这本事？我才不信呢！这就让它来试试好了。”说着布鲁诺从口袋里掏出机器人。

“噢，我要先把它复原才行！”我按了一下变形开关，啪啪，机器人立马变回了原来的大小。刚才的声音有点儿响，导致周围几个地球人好奇地朝我们这边看，不过还好，他们都没怎么太在意，大概以为这是小孩子的玩具机器人吧。

但是，我万万没想到，这一举动竟然引发了一场大灾难。唉，真不该在沙滩上激活机器人！如果我能预见未来……

如果……如果……如果……

又掉进了地球人的思维陷阱！我们高尔奇人逻辑严谨、思维缜密，做事之前一定会深思熟虑，做过了也从来不会后悔。自从我安装了地球语，脑袋瓜也被地球人污染了！不过，现在说什么都晚了！

第8章　机器人失控了

机器人接过魔方，用钳子手转来转去，只听咔嚓咔嚓几声，不到五秒，魔方就复原了。

“哇，好棒！”布鲁诺喊道，“小古斯，快说说，它还会什么？”

“它会的东西多着呢！”我悄悄地给了机器人几个指令。只见它头上的绿灯立马亮了起来，开始往布鲁诺腿上涂防晒霜。

“啊——好疼！快让他住手！”布鲁诺大声喊道。

这下我才想起来，机器人的钳子手太硬，不适合干这活，就赶紧让它停了下来。不一会儿，它给布鲁诺拿来一瓶汽水，打开瓶盖把汽水倒进杯子里，还没等我吩咐就自动分析起来了。分析完之后，它打开头上的盖子，伸出一个小风扇给布鲁诺扇起风来。

“哇，这小家伙还真行！”布妈妈夸奖道。接着她也不停地使唤起机器人来，一会儿让它去拿太阳镜，一会儿让它翻书，还让它把包里的指甲油拿出来，给她涂手指甲和脚指甲。你别说，这些活儿机器人样样都很在行。

小机器人圆嘟嘟的身体转来转去，忙得不可开交。瞧它那副模样，真是可爱极了！我打心眼里佩服起设计师侯悠来。

在沙滩上躺了不到半小时，布爸爸、布妈妈和小布鲁诺就兴高采烈地朝大海跑去。他们跳进冰凉的海水里，舒舒服服地游起了泳。布爷爷依旧待在马姬身边，两人聊得正欢。

突然，我看到一只黑乎乎的小动物朝我们跑来，它全身毛茸茸的，长着四条腿儿，长长的尾巴不停地晃来晃去，乍一看有点儿像小猫咪，就是个头大了一些。机器人很快就注意到这只来历不明的动物，它头上的绿灯一下子变成了红色。不好，有危险！机器人启动了自我防御系统，随时准备发起攻击。这时，我发现周围的地球人都在自顾自地玩着，都没在意这只小动物，于是我想它肯定没什么危险，就对机器人说：“别紧张，小家伙！我看有点儿像小猫。它不会对你怎么样的！”

说到小猫，我想起了布鲁诺家养的那几只猫咪，上次我来地球时见过，它们性情很温顺。我继续安慰机器人："嗨，小家伙，别激动！这是地球人养的宠物，没什么危险！"

听我这么一说，机器人这才放松下来。它头上又亮起了安全绿灯。唉，没想到一着不慎，满盘皆输。后面发生的事险些酿成大祸！因为这根本就不是小猫！

不一会儿这只动物跑到机器人身边，用它那黑色的小鼻子嗅来嗅去。

接下来的一幕，顿时让我惊呆了！

只见它抬起一条后腿儿，若无其事地朝机器人撒了一泡尿。

"不好——不好——"机器人生硬地喊道，接着它就像个醉汉似的，身子慢慢地晃悠起来。

"不好——不好——"
机器人生硬地喊道。

布爷爷和马姬听到喊声，齐刷刷地朝我们这边看。布爷爷看到小机器人的样子哈哈大笑起来，马姬大声说：“啊，好恶心！”

只见那只动物撒完尿，又若无其事地走开了。

机器人这下子可不得了了！它也不听我的指令，径自晃悠晃悠地干起活来。情况不妙！只见它用钳子手拿起布鲁诺的拖鞋，一眨眼的工夫就将它撕成了碎片，还把这个也当成了食物分析起来！

“快住手！那不是食物，不要分析！”我连忙对机器人说。

它好像没听见似的，继续撕扯拖鞋，对它进行分析，最后终于折腾完了，它还把分析结果保存了起来！

“立马停下来！”我命令机器人。我可不想让眼前的局势继续恶化！

按理说，机器人没生命，没有指令不会行动才对。看到机器人的反常行为，我心里不安起来。

过了好一会儿，它终于开口说道：“分析完毕，结果已保存！”

但它头上还亮着红灯！

它原地转了几圈，突然蹦起来一头扎进沙子里，就像个挖掘机似的，用短短的手臂，在沙子里挖来挖去，弄得小沙粒四处飞扬。

我听到周围有几个地球人大声抱怨起来。

“怎么回事？快住手！”

“干吗呢！”

“搞什么！真没道德！”

布爷爷先是一愣，然后立马朝我们飞奔过来。布家其他人一看情况不妙，也赶紧游上岸跑过来。

机器人在沙子里钻来钻去，干得还真起劲儿！这会儿它全身通红，就像个小太阳似的。一会儿，它从沙子里钻出来，猛地跳到布鲁诺的毛巾上。

毛巾一下子就着火了！

“哈嘎西河，付鸡皮高二，吼嘻嘻，7，不赖哦，一棵，8976+x！”机器人语无伦次地喊道。但是，声音听上去还是很生硬，和先前没什么两样。

眼看着浴巾就要完蛋了，我赶紧伸出弹簧臂，拿起布鲁诺的汽水朝火堆洒去。唉，身体缩小了还真不方便，汽水瓶都快拿不动了。不过还好，最后终于把火扑灭了。

我在灭火。

这会儿，机器人呼哧呼哧地朝海边跑去。它一边跑，一边挖沙子，搅得沙子到处乱飞。唉，那群地球人眼看着就要气疯了！

“天哪，这个捣蛋鬼！快住手！”布妈妈尖声喊道。

说着她跑上前去，猛地踢了机器人一脚。机器人一下子飞了出去，栽进大海里，不过不一会儿它又浮了上来，周围荡起一圈圈波纹。我看见它全身没刚才那么红了。真是谢天谢地，没想到这个凉水澡还真管用！

过了一会儿，它跑回来乖乖地坐到我旁边，看上去跟个没事人似的。

“一切正常！”机器人说。

我疑惑地看了它一眼，心想：它怎么突然不听指令了？难不成……是那只动物？它撒完尿，机器人就开始疯疯癫癫的。没错，肯定是那泡尿惹的祸！机器人的系统很敏感，湿了之后，一下子就乱了套。

“行为怪异！”我对机器人说，“你怎么不听指令了？”

“我是在执行你的指令呀！一切正常！”它回答。

“是吗？我可没让你去分析拖鞋和毛巾！立刻检查系统！”我生气地说。

机器人叽里呱啦地说了一大堆，最后用正常的声音说：“检查完毕，一切正常！随时听候吩咐！”

这下我才稍稍放了心，对布家人说：“不好意思，刚才让大家受惊了。机器人出了点问题，不过现在没事了。”

“那就好，刚才吓死人啦！”布妈妈说，“希望以后可别再这样了。”

“嘿！瞧我的拖鞋！”布鲁诺指着那堆拖鞋碎片大声喊道，“那……那还能穿吗？赶快扔垃圾桶里算啦！”

接着他提起被烧得面目全非的毛巾，嚷嚷道：“啊，我的天哪！都成这样了！”

布爷爷说：“刚才我和马姬看到有只狗对着机器人撒了泡尿。没错儿，肯定是那泡尿把它给惹火了！”

“啊，怪不得呢！它现在没事了吧？”布鲁诺问。

只见机器人乖乖地站在我旁边，好像刚才什么事儿都没发生似的。

“我看不要紧了！”我说。

谁知这回我又犯了个大错，后来机器人捅出了更大的娄子。唉，真该及时和设计师侯悠联系的！

第9章　餐厅里惹麻烦

晚饭前，布家人想在宾馆周围散散步。布鲁诺把小机器人放到包里。我缩成一丁点大站在他肩上，这样视野好，看得远。

我们四处溜达，一路上碰到很多石砌的房子，看上去还不错。

“哇！好漂亮！和我想象中的一模一样！”布妈妈高兴地喊。

布爸爸用老掉牙的相机拍了很多照片，都是平面的，没什么意思。

我们还逛了几家小店，里面都是些杂七杂八的东西，有各式各样的衣服，还有花花绿绿的泳具和玩具。

提到玩具，我得说说，我们高尔奇人从来不玩。到现在我也没搞明白，地球小孩为什么会对玩具这么痴迷。

布鲁诺在店里一会儿动动这个，一会儿玩玩那个，哼哼唧唧地老是要买东西。没办法，布妈妈只好给他买了一大堆玩具。

布爸爸用硬币换了个潜水镜。

接着布鲁诺又嚷嚷着要吃冰激凌。这回布妈妈心意已决，死活不给他买。她气鼓鼓地说：“马上就要吃饭了，还吃什么冰激凌！不行，不能买！吃了冰激凌，你又不想吃饭了！”

“拜托啦，妈咪——”布鲁诺开始撒娇。

磨蹭了很久，冰激凌也没买成。

一路上，我们又碰到很多游客，看样子都是来这儿度假的。

“唉！”布爷爷叹了口气说，“怎么到处都是人，烦死了！”

咦，布爷爷不也是来旅游的吗，还嫌弃别人！真好笑！

“你们也会去别的地方旅游吗？”布爸爸问。

“当然喽！尤其是老年人！他们经常坐着太空滑翔机去别的星球，回来的时候还会带些纪念品，像陨石呀，水晶呀之类的。”

“原来游客到处都有！”布鲁诺说，“好疯狂！”

“我们高尔奇星球在宇宙中很受欢迎哟，很多外星人喜欢去我们那里旅游。我们那儿可漂亮了，去的人都赞不绝口呢，而且我们待人友好，从来不会争吵……”

说这话时，我突然想起了同事Y9。哼，这个吹牛大王！马屁精！好讨厌！我真想揍他一顿！

咦，我怎么有暴力倾向了呢？坏了，肯定又是地球人的思维在作怪！我要克服这种想法，赶紧换个话题。

“我们高尔奇星球上，有芳香四溢的森林，有很多吐着烟的活火山，还有大片大片紫色的田野。”我继续说。

“哇，不错呀！真想去那儿度假！”布爸爸说。

“小古斯，你经常在宇宙中旅行，给我们讲讲你的经历吧！”布爷爷提议道。

接下来我给布家人讲了旅行途中看到的星云、银河中的小星星，还有我见过的一颗最亮的超新星。

“什么是超新星？”布鲁诺好奇地问。

“它是恒星在生命末期经历的一次大爆炸。大爆炸会发出耀眼的光芒，甚至能照亮它所在的整个星系。它周围的温度也会在短时间内迅速上升，有时候高达五亿开，噢，‘开’是指‘开尔文温度’，是你们地球人习惯用的一种温度单位。”

“天哪！五亿开？好高呀！”布妈妈吃惊地感叹道。

“哈哈，牛排都能烤熟啦！”布爷爷说。

“小古斯，你是不是所有的星云都见过？”布鲁诺好奇地问。

“那怎么可能呢！你知道整个宇宙中一共有多少星云吗？好几万个呢！不过我朋友多，他们住在不同的星球上，有空我就去找他们玩，一起逛逛太空，看看星云。”

布爷爷想了一会儿说：“那你要去朋友那儿，肯定也得花不少时间吧？”

“还可以，我们的飞行速度是光速的好几倍呢。”我说。

“你见过黑洞吗？”布鲁诺问，“听说黑洞很恐怖，掉进去就出不来了。”

“没错！在宇宙中旅行时，一定得避开它们。其实，黑洞是由密度极高的物质组成的，质量很大，有的甚至是太阳的十亿倍。基本上每个星云都有黑洞，银河也不例外。”

“嗯，长见识啦！”布爷爷说。

布鲁诺吃惊地说：“好危险呀！等我将来去宇宙旅行，一定得小心点儿。”

“其实我们人类早就发明了射线望远镜，能观察到很多星云。”布爷爷接着说，“几年前，我们就不停地往太空中发射电波信息，可惜到现在都没接收到外星人的回复。”

“能认识小古斯，真是太幸运了！”布鲁诺高兴地说。

“其实外星人早接收到你们的信息了，说实话，地球人在整个宇宙中名声不大好，所以他们也不愿意联系你们。”我解释道。

“啊，你说什么？”布爸爸疑惑地看着我问道。

“地球人学东西很慢，做起事儿来也没条理，脑子里全是垃圾信息，有时候还喜怒无常，让人感觉有点儿莫名其妙。”我一口气把这些话说了出来。

“嗨，小古斯，我说，你是不是太夸张了呀？”布妈妈不高兴地说。

“才不是呢。瞧你们地球人相互残杀，这没错儿吧？我们高尔奇人绝对不会杀害自己的同胞！还有，我们也能控制住自己的情绪，从来不会伤害别人。”说到这儿，我又想起了同事Y9。这个令人讨厌的家伙！

我们走着走着，来到了一家饭店前。布家人把脸贴着大大的橱窗，好奇地往里张望。

“哇，这儿竟然有家德国餐馆！”布爷爷吃惊地说。

布爸爸喊道：“快看，这儿有菜单！要不咱们晚上就在这儿吃吧！”

接着他大声读起菜单来，好多词儿我的硬盘里都没储存，唉，我听得一头雾水！不过看样子这家餐馆还不错。

“纽伦堡烤肠配芹菜酱汁、羊肉拼盘、巧克力鹅肝酱配无花果、苹果西芹沙拉！哇——我的口水都快流出来了！瞧，还有香煎羊里脊配熊葱烩饭呢。”

一听到这些，所有人都禁不住啧啧称赞起来。布爸爸兴致勃勃地继续读道：“扇贝血肠配腌甜菜！黑豆辣根配茴香蜜饯，送烤虾一只！”

嗯，看布家人的表情，我猜这儿的菜肯定不错！

“我想去这家店尝尝，顺便做个食品分析。”我提议道。

“我看还是算了吧！瞧瞧那些菜价，贵得太离谱了！反正宾馆也有吃的，咱们干吗非得在这儿吃呀！”布妈妈给大家泼了一头冷水。

“我都快饿扁了！”布鲁诺嚷嚷道。

“那也不能在这儿吃！”布妈妈略带严肃地说，“这么贵，我们可吃不起！”

我心想，不管他们了，干脆一个人进去吃算了！可转念一想，万一我这副模样再把地球人吓坏了，那可怎么办？算了，还是乖乖地和他们待在一块儿吧！这样保险点儿，再说宾馆也可能会有好吃的食物。

“唉！到底还让不让人家吃饭？饿死了，饿死了！”布鲁诺不停地发牢骚。看样子，他得赶紧补充能量才行。

我和布家人折回宾馆，直奔餐厅，在一张空着的桌子旁坐了下来。

餐厅里灯火通明，我和机器人必须好好伪装一下，千万不能暴露身份。我发现桌上有两个瓶子，一个是撒盐瓶，一个是胡椒瓶。对地球人来说，盐和胡椒是必不可少的调料。我灵机一动，按了一下手腕处的变形开关，把机器人变成了胡椒瓶，自己摇身一变，成了撒盐瓶。这下桌上就有了四个调味瓶，其中有个胡椒瓶上面还亮着绿灯，不过还好，不怎么显眼。说起胡椒，我可要提醒一下大家，这东西可不是闹着玩的，一不小心吸进鼻子里，准会把你呛个半死！

我和机器人伪装得很完美，它正乖乖等候我的指令。

真巧，马姬又坐到了我们旁边。布爷爷还没注意到她时，她就又向他抛起了媚眼。

虽然我身体变小了，成了一个撒盐瓶，但我还会思考！这个马姬，形迹可疑！

她为什么总是朝布爷爷抛媚眼呢？肯定居心不良！我很好奇，于是用千里眼死死地盯着她看。她的眉毛不停地抖动。我拉近焦距，盯着她的眼球，想破解她的想法。唉，这人还真难看透！我能明显感觉到她浑身散发着极强的负能量。布爷爷好像丝毫没有觉察到，反而笑盈盈地和她打招呼。

一个男服务生端来啤酒和水放到我们桌上，不一会儿，又送来意大利面和沙拉。我立马给机器人下指令，让它分析食物。

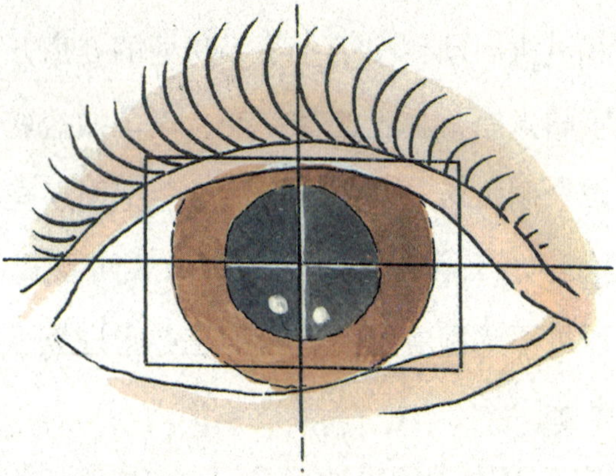

我拉近焦距，死死地盯着马姬的眼球。

“嗨，马克波特！地球人的食物来了，准备开工！”当然我现在还是个撒盐瓶，没胳膊没腿儿。我射出一道不显眼的光指向意大利面，想让机器人赶紧分析面条。

没想到，机器人这会儿又犯浑了，听到我的指令后直奔桌上的餐巾，分析起它的味道和维生素含量。这时，只见一个上面亮着小绿灯的胡椒瓶在桌上晃来晃去，围着餐巾转个不停。我的天哪，这是怎么回事？

“嘿，大家快看！”布鲁诺咯咯地笑着说，“这个胡椒瓶可真好玩！”一听这话，大家齐刷刷地看向机器人变成的胡椒瓶，接着一块儿哈哈大笑起来。他们大概以为这也就是个小玩具，没什么大不了的。唉，亏他们还笑得出来，我都快急死啦！

机器人分析完餐巾，还把数据存储到了硬盘上。

“不好！”我对它说，接着又射出一束光线指向布鲁诺的意大利面。我怕机器人看不到我的暗示，还特意大声说：“那个才是食物！”

它好像根本没听见我的指令，自己又分析起桌布来。这会儿，它的头顶越来越红，就像要烧着了似的。它还没分析完桌布，就啪的一声倒在了橄榄油瓶旁边。我怕它这回再把桌布给烧着了，于是连忙对布家人说：“我想先回房间。”

“哈哈！小古斯变成的撒盐瓶还会说话！真有意思！”布爸爸咯咯地笑着说。唉，都乱成一团麻了，他还在那儿笑！我今天郁闷死了。

“嘿，布鲁诺！快把我和机器人带回房间！”我冲布鲁诺大声喊。幸亏他手脚麻利，三步并作两步就把我们带上了楼。

回到浴室，我对布鲁诺说：“谢谢！多亏了你！”现在我要赶紧恢复原来的样子。好吧，集中精力！变形开始！啪啪啪，我的身体开始慢慢变大，像个正往里充气的气球。突然，从我体内传来砰的一声巨响，这是怎么回事？不大对劲呀！不过还好，最后我还是成功地变回了原样。

哇！好舒服呀！我活动活动了关节，接着按了一下手腕处的变形开关。啪的一声，机器人也变回了原样。

第10章　机器人逃跑了

“我得赶紧到楼下去，要不就吃不到饭后甜点了！”布鲁诺喊道。

“唉，我真想和你一块儿去！”我叹了口气说，“可惜机器人太不争气了！我要修理修理它才行。”

“那好吧，我先走了！祝你好运！”布鲁诺说着离开了浴室。

我看着机器人生气地问道：“你是怎么回事？不听我的指令也就罢了，干吗要去分析餐巾和桌布呢？你变傻了吗？”

“不明白你在讲什么！”机器人生硬地说。

“我说你脑子不正常！”我大声说。

“什么？没听明白。”它回答。

“你装糊涂还是怎么了？我要修理你一下！”我怒气冲冲地喊。

这下子机器人好像终于明白了，生硬地说："要修理的话，请打开我背上的后盖！"

我打开盖子，发现里面有个小键盘，看样子是要输入信息才能启动。虽然在技术方面我也不是外行，但这么复杂的系统我还真是第一次见。不过先试试再说吧，我输入了下面的指令：**"！置设厂出复恢统系"**

机器人说：**"！码密入输先请"**

我一听就傻了，自言自语道："密码，什么密码？"

机器人重复道：**"！盖后上关，码密入输请"**

这下可糗大了！我哪儿有什么密码！

我绞尽脑汁，死活也没想出什么密码。肯定是侯悠没告诉我！唉，她怎么连这么重要的事都给忘了呢？真糟糕！现在我得抓紧时间联系她。

我从背包里翻出无线电收发机，试着和技术部取得联系。一阵阵刺耳的声音传来，过了好久也没人接听。杂志社那边也是一样，根本联系不上！只见收发机的屏幕上显示：**“！系联得取方对与法无”**

没办法，只能靠自己了！我拿着机器人翻来覆去地检查，想找找它身上有没有重启按钮。

机器人不停地说：**“！盖后上关，码密入输请”**

我想来想去，最后输入“侯悠”两个字。唉，还是不对！到底是什么呢？我急得就像只热锅上的蚂蚁。最后实在想不出来，就只好随便输了几个字，想碰碰运气，没想到这下子把事情惹大了！机器人腾地一下跳起来，撞到浴室的墙壁上。墙上的瓷砖立马碎成无数小块，哗啦哗啦地掉了下来。接着机器人转过身去，用钳子手牢牢地抓住洗漱池，把它从墙上掰下来，扔到地上摔了个稀巴烂。

“放肆！赶紧住手！”我伸出长长的弹簧臂，想抱住机器人，先不让它乱动。

“不要乱动！”我喝令道。

机器人根本就不搭理我。只见它一下子跳到马桶盖上，把马桶也跺了个稀巴烂。

最后我终于逮住它了！不过它身上烫得厉害，没办法，我只好又把它放开了。

我感觉机器人身上散发着很强的负能量，也严重扰乱了我的大脑。唉，我算是拿它没辙了，只好绝望地喊道："快停下来！住手——住手！"

就在这时，浴室的灯灭了。估计是机器人发出的超强负能量干扰了宾馆的供电系统。

在漆黑的浴室里，我看见机器人头上发出耀眼的红光。

突然，我听到浴室的门被猛地撞开了，机器人呼的一下飞了出去。接着外面又传来一阵声响，看来机器人撞开门，飞到走廊里去了。

外面漆黑一片，看样子整个宾馆都停电了。幸亏这对我没什么影响，因为再黑我也能看清东西。我猜机器人这会儿可能沿着楼梯飞到大厅里去了。

"快停下来！"我追着机器人不住地喊。

其实喊也是白费力气，这时机器人根本就不听我的话。

唉，这下子可糗大了！

机器人撞开门飞了出去。

“是谁在外面？吵死了！”我听到走廊里有人气呼呼地大喊。

“咦，怎么没电了？”有个女地球人抱怨道。

“怎么回事？偏偏今天停电！怎么看世界杯决赛啊？”我听到一个地球人说。我心里还在嘀咕：世界杯决赛？什么是决赛？我脑袋瓜里怎么没存这词儿呢？

我飞进走廊，看到明亮的月光从窗子里照了进来。还好，这儿有点儿光。我沿着楼梯往大厅里飞，只见迎面跑过来一个人，我还没来得及躲闪，就和他撞了个满怀。他抬头看了我一眼，差点儿吓晕过去。估计他以前没见过外星人！只见他两眼睁得圆圆的，嘴张得大大的，像是要大喊大叫的样子，不过没喊出来。

“我叫高尔奇，小古斯·高尔奇。”我连忙向他解释道，“别怕！我不会伤害你的！”

这个地球人似乎松了口气，慌忙跑回自己的房间，砰的一声关上了门。

我抬头一看，机器人已经飞到楼梯口那儿了。我正要追过去，突然听见旁边的电梯里传来敲击声和求救声。听声音，我觉得里面好像是布爷爷和马姬。大概因为突然断电，电梯被卡在了两层楼之间，人也出不来了。

我听布爷爷大喊：“嘿！外面有人吗？”

“救——命——呀！”马姬尖着嗓子喊道。

不行，救人要紧！我要先把他俩救出来再去追机器人。

我犹豫片刻，猛地一下子撞开了电梯门。我听到布爷爷的叫声从下面传来。我灵机一动，伸出弹簧手臂，用力往上拉缆绳，终于把电梯慢慢提了上来。布爷爷和马姬得救了！

“小古斯！好样的！”布爷爷激动地喊道，“幸亏你来得及时！”

没想到马姬看到我，吓得脸色苍白，一下子晕了过去。要不是布爷爷手疾眼快及时接住她的话，她恐怕就摔倒在地上了。

“怎么了，马姬？”布爷爷担心地问。他跪在地板上，一只手揽着马姬，一只手不停地给她扇风。

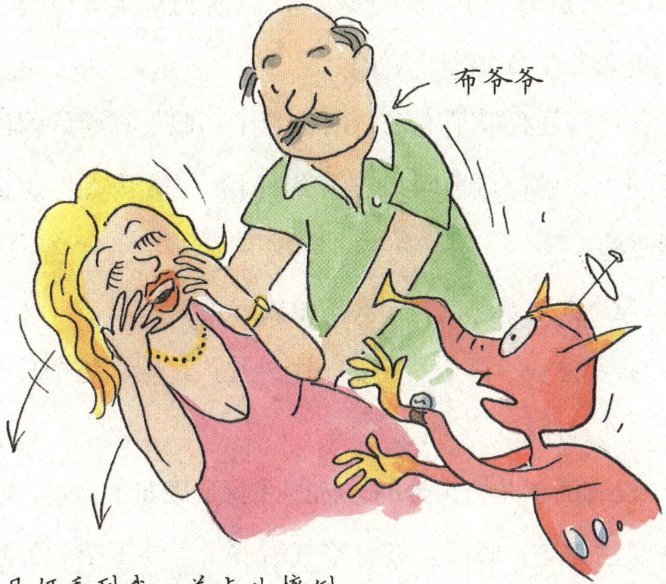

马姬看到我，差点儿摔倒。

我好心提醒布爷爷：“你别管她了，她身上有股很强的负能量。”

看样子，布爷爷不怎么爱听这话。“关你什么事？”布爷爷生气地说，“我们地球人有时候会对别人产生好感。小古斯，这个你不懂！”

谁说我不懂了，我对侯悠就有这种感觉，但这绝对是两码事儿！侯悠身上散发的全是正能量，而这个马姬……不过我也没时间和布爷爷纠缠下去了！眼下我得赶紧去找失控的机器人！

“这只是一个小小的建议。”我连忙对布爷爷说。说完，我又飞着去找机器人了。

在拐角处我停了下来，回头看了一眼。马姬好像已经恢复神志，她惊讶地问：“怎么回事？这是哪儿？怎么黑咕隆咚的？”

“没事儿，亲爱的！”布爷爷安慰道。

“我刚才……好像看见了一个外星人！啊，是个长鼻子怪物，浑身通红！”她说。

“没有的事儿，亲爱的，你刚才肯定眼花了！走，咱们出去溜达溜达，呼吸点新鲜空气就好了。要不咱们去沙滩逛逛？瞧，今晚的月亮多美呀！”

“老布，你——你可真有情调！”马姬轻声说，“唉，要是没了你，我该怎么办呢？”

第11章　紧急呼救

咦，布家人都去哪儿了？怎么连个人影都见不着？

唉！布家人找不到，机器人我也跟丢了。

我沿着楼梯飞回二楼的走廊，只见里面一片漆黑，两个意大利服务生正拿着手电筒和蜡烛朝走廊另一头跑去，一看到惊慌失措的客人就连忙安慰道：“没事，没事！就是电路出了点儿问题！一会儿就修好了！请大家稍安毋躁！”

还有个服务生晃晃荡荡地端着托盘，上面放着几个酒瓶和玻璃杯。看到我后，他先是愣了一会，接着手中的托盘哗啦一声摔在了地上，瓶子和杯子大都摔了个稀巴烂。他呆站了一会，然后大声喊道：“鬼！鬼！妈妈咪呀！”他一边大喊，一边呼哧呼哧地跑开了。

我一抬头刚好看到了机器人。

它就站在走廊的尽头，靠着一扇小门，门上有个小人一样的标志。

它头上还闪着耀眼的红光，我本能地捡起一个没摔碎的酒瓶，朝机器人那边飞去。我靠近它时，立马感觉到了一股很强的热流。机器人现在浑身烫得厉害，我连碰都不敢碰它。

“没事，没事！别怕！”我连忙说，“快冷静一下！”

我伸长右臂，把冰凉的酒猛地倒在它头上。机器人身上呼地一下冒起了烟，还发出嗞嗞嗞的声响。现在它的身体没刚才那么红了，不过还是很烫的样子。

“快听我指令！”我用命令的语气说道。

只听它叽里呱啦地说了一长串让人搞不懂的字母和数字：

“Fghdjdj+mjmf8n&-*ndk+774255252ghhsdjs-kidjd-mldd+juj-hnid-8jkjojlejghgrejjie36353+n377gu73b37b+djs……”

我立马打开旁边的门，把机器人推了进去。这会儿它已经没有丝毫反抗力了。

进去之后，我发现这里原来是个厕所，地球人可以在这里排放体内多余的水分。我看见一个和宾馆浴室里的一样的把手，往上轻轻一推，只见冰凉的水立刻哗哗地流了出来。我把水龙头对准机器人，一阵猛喷！我要先给它洗个凉水澡，让它清醒清醒！

你别说，这招儿还真管用！机器人立马冷静下来，它的身体也没刚才那么烫了。我总算松了口气。

不过我很清楚，机器人虽然这会儿是没什么事了，但说不准什么时候又会犯病！眼下得抓紧时间把它修好才行！

可没密码怎么办？没密码，绝对搞不定机器人。

机器人的眼里闪烁着不安的光。

怎么办？要不我再试一试，看看能不能联系上侯悠。

我从背包里拿出无线电收发机。

“Y3呼叫侯悠！紧急情况！请火速应答！”

但不管我对着收发机喊多少遍，都没人应答。

机器人一动不动地站在我旁边。看着它，我突然有一种不祥的预感。我感觉机器人一会儿又要撒野！我的天哪，到底该怎么办呢？我总不能就这样不停地往它身上喷水呀！

只好使出最后一招了！

我们高尔奇人如果遇上大麻烦，自己解决不了的话，可以按一下紧急按钮，这样就能自动发出求救信号。不管什么人，只要接收到这个信号，都要立刻放下手头的事去帮助自己的同胞。这可是我们高尔奇星球上雷打不动的惯例，任何人都不能违背。但这个紧急按钮可不是随便什么时候都能按的，只有在万不得已、火烧眉毛的情况下才能按。不过话又说回来，现在除了我，哪里还有别的高尔奇人在地球上呢？唉！大老远的，谁会来救我？这下我怕是要完了。

不过，先试试运气吧。没准儿有人无意中听到我的求救信号，能帮我和技术中心取得联络。只要有了密码，事情就好办了！

于是我按下了紧急按钮。

一股超强的电流穿过我的身体，信号自动发出去了！

不一会儿，电波就传到了高尔奇星球。我终于听到了熟悉的声音，不过一开始不太清楚，吱吱啦啦的，我根本听不清对方在说什么。唉！虽然高尔奇星球离地球只有五光年的距离，但是信号还是这么差，真让人恼火！不过我相信这肯定不是我们的技术问题。我们的技术人员可是一流的，无人能比！就是偶尔……偶尔也会犯个小错误。

我看了机器人一眼，它乖乖地站着，这会儿还没什么异常举动。

我还是听不清对方在说什么，收发机信号很差！肯定是因为地球上的空气密度太高，还有地球人用那些老掉牙的设备，像手机呀，收音机呀，电脑呀，还有电视机呀，这些破玩意儿都会干扰信号。

最后，信号终于好一些了，我听到对方说："嘿，这是高尔奇星球！这是高尔奇星球！喂？请说话！"

一听到这声音，我的心顿时就凉了半截！唉，怎么偏偏是他！

没错，就是他！我太熟悉这个人的声音了！他就是令人讨厌的Y9！怎么偏偏是这个家伙收到我的求救信号了呢？唉，真倒霉！

“嘿，我是Y9！出什么事了？喂？”

唉，一听到他那声音，我就难受！

“我是Y3！”我简单地回了一句，“机器人出了点技术故障！帮我转接技术员侯悠！”

“什么？就因为一点技术故障，你就按紧急按钮？”Y9恼火地喊，“按照星际宪法6583章，234/A条，只有在万分紧急的情况下，才能发出紧急信号，你不懂吗？只有关系到生死存亡，你才能……”

“现在就是生死存亡的关头！”我不耐烦地打断他的话说，“机器人失控了！它不停地搞破坏，我拿它没办法了！”

“还真是倒霉呢！”Y9说，“听到这些，我很抱歉！”

什么呀！一听声音就知道他心里肯定正偷着乐呢！

“我要赶紧把它修好！”我大喊道，“我需要该死的密码！”

“你需要密码？”Y9假惺惺地问。

“是的！赶紧帮我转接技术部！我要和侯悠通话！”

接着那边就没了声音，我立马紧张起来：“喂？怎么了？还能听到我说话吗？”

没人应答！

咦，Y9这家伙在搞什么鬼？

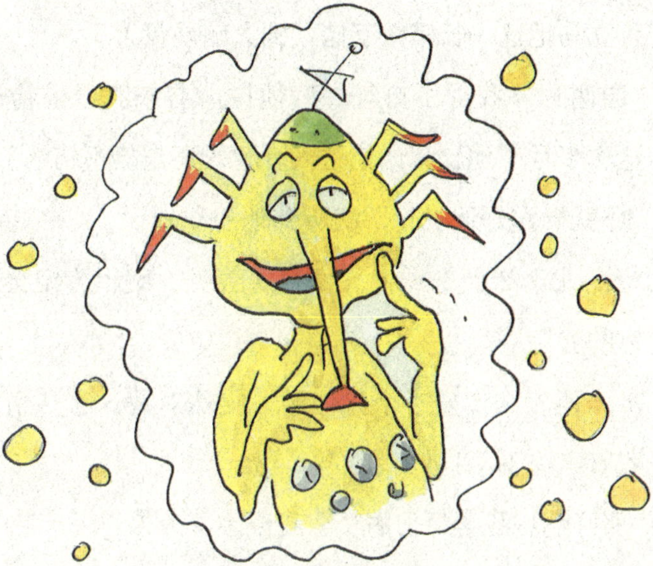

Y9问："你需要密码？"

过了好一会，我终于听到Y9说："请稍等一会儿！我看看能不能帮上忙。"说完这话，那边又没了声音。

我看了一眼机器人，它头上又开始发红了。不好！不能再等下去了！要赶快想个办法！

就在这时，收发机那边又传来Y9的声音："我知道了！"

"你问到密码了吗？"我吃惊地问，谢天谢地，这家伙总算干了点好事，"快说，密码是什么？"

"听好了，是7402378042740808240678。"

我立马把这一长串数字储存到大脑硬盘上。

“谢谢！”我舒了口气，对他说。看来我以前错怪Y9了。这次多亏了他！嗯，他这人有时候还是挺不错的。

“那就祝你好运啦！”我听到他甜甜地说，“一定要给我们带点儿美味回来哟，大家都盼着呢，编辑肯定会好好奖赏你的！”

咦，他怎么像变了个人似的，突然对我这么热情？还真让我有点受不了！

“那好吧！我会尽力的！”我说。

接着我们的谈话就结束了。

第12章　骗子Y9

我打开机器人后背上的盖子，哇，它身上好烫啊！

“x56-67请——输入——密码！6-56x9或者x98-56后盖567关闭 87x！”只听机器人又叽里呱啦地说了一大堆。

“等一下！”我对它说，接着哆哆嗦嗦地在键盘上输入了刚才Y9给我的密码：7402378042740808240678。

密码不对！我晕！被Y9那家伙给耍了！

就在这时，宾馆的灯又亮了，看来线路修好了。

机器人浑身哆嗦个不停。该死的红灯又亮了！接着，它头上的喷嘴里射出一束激光。

机器人身上超强的电磁波猛烈地冲击着我，让我不由自主地抽搐起来。

我电池里储存的能量开始急剧下降。不行！我快坚持不住了！

就在这时，机器人猛地冲破卫生间的门，飞了出去。

我一下子就愣住了，呆呆地站了一会，完全不知所措。过了好一会儿，我总算缓过神来。Y9这家伙，太过分了！亏他想得出，竟然故意给我一个错的密码！哼，这个阴险狡诈的家伙，肯定巴不得我的计划失败呢！

唉，不过，现在骂他也没用了！我听到外面走廊上传来嗞嗞嗞的声音，看来机器人的头上又开始喷射激光了。

我赶紧飞出卫生间去追机器人，没想到刚飞到走廊里，就被眼前的一幕惊呆了。只见一个地球人一动不动地站着，看样子他刚才跑着的时候被机器人的激光射中，一下子定在了那里。我的天哪，没想到，机器人的激光威力竟然这么大！

接着我又看到了一个女地球人，她刚才好像正打开门，想看看外面怎么了，没想到也被激光射中，一下子定在了门口。她两只眼睛睁得滚圆，一只手握着门把手，另一只手做了个手势，让屋里的人不要出来。

天哪！这下子可糟了！我还没来得及救这两人，就突然看到机器人站在对面的窗户旁，头烧得跟一个小太阳似的，身子哆哆嗦嗦的，像要炸开的气球！

机器人随时都有可能爆炸！

我小心翼翼地朝机器人靠近，刚飞到半路，飞行鞋就出毛病了。我吃力地往前飞，两只脚都快拖到地上了，最后我只好像地球人那样用两只脚往前挪动。

我的电量急剧下降，糟了，快没电了！我摇摇晃晃地往前走，浑身越来越没劲儿。要赶紧充电才行！可充电器还在浴缸里，我刚才出来得急，忘记带上了。唉！我现在怎么跟地球人一样丢三落四的！怎么办，怎么办？没时间回去拿了，要赶紧阻止机器人喷射激光！我绞尽脑汁，终于想到了一个妙招：把机器人缩小！这样它就没多大的威力了。

因为不敢离它太近，我只好伸出弹簧臂，尽可能伸得长长的，对着机器人，按了一下手腕处的变形开关。唉，不知道我的能量还够不够用来让机器人变形的。

哇，太好了，这招儿果真奏效了。

只听啪啪两声，机器人一下子缩成了手机大小，两只眼睛眨巴眨巴地看着我。啊，变形成功！可是我还没来得及高兴，机器人就朝我射来一束激光，刚好打在我身上。

我一下子就跟触电似的，手脚麻木，抬也抬不起来，身子晃来晃去，顿时觉得天旋地转！我踉踉跄跄地退了几步，靠到墙根上。

“住手！住手！”我冲着机器人有气无力地喊道。

不过幸好我还能动弹一点儿，不像刚才那两个地球人那样被死死地定住。看来我们高尔奇人的身体比地球人强多了。

过了一会儿，机器人从我身边飞走了。我立马闻到一股烧焦了的味道。呸呸！臭死了！

我靠着墙，两条腿抖个不停，脑袋里一阵阵刺痛。唉！我感觉体内有东西坏掉了，得赶紧修一下才行。

我在头上摸索了一会儿，打开脑盖，接着用鼻子检查了一下脑袋，找到了里面的复位按钮，小心翼翼地按了一下。顿时，所有的神经又恢复了正常。我感觉自己就像变了个人似的。最后，我按了一下“确定”键，脑盖咔嚓一声又合上了。

我打开脑盖。

想想刚才发生的事，我还真有点后怕，希望机器人不是故意伤害我的。要知道，我们高尔奇星球上的机器人是绝对不允许伤害主人的。这可是雷打不动的规定！不过，万一机器人是故意的，那该怎么办呢？不可能！绝对不可能！别再胡思乱想了！机器人怎么可能会袭击人呢？我在高尔奇星球上还从来没听说过这种事儿。

虽然我尽量让自己往好的方向想，但心里还是在不停地打退堂鼓。唉！我干脆把太空车调到这儿，飞回高尔奇星球算了。那车肯定还在布家人的花园里等着我呢。只要我一声令下，它立刻就会出现在我面前！我可以坐着它离开这个鬼地方，安然无恙地回到高尔奇星球。是啊，要是能这样，该有多好啊！

不过，我考虑再三，还是决定先待在这儿。看看眼前的这个烂摊子，还不都怪我！不管怎么说，我要先把这些摆平了，才能心安理得地回去呀。机器人是我带到地球上来的，我要对它负责！我怎么能抛下它，一个人逃之夭夭呢？

对了，布家人都上哪儿去了？怎么一直没看到小布鲁诺的身影呢？哎呀，要是他们碰上机器人可就坏了！说不定他们现在的处境很危险！我得赶紧去找他们。

我又看到了走廊里那两个被激光定住的地球人，他们和刚才一样，一动不动地站着。我想救他俩，可一时也想不出什么法子。机器人搞的这个烂摊子，让我怎么收拾呢？这家伙可真让人伤脑筋！

第13章　机器人报废了

我的腿沉得像灌了铅，不过还好，我又能飞起来了。我沿着楼梯慢慢往下飞。我的天哪，到处都是烧焦的味道，可就是不见机器人的影子。这家伙又跑到哪里去了？难不成到宾馆外面去了？

我四下里寻找机器人，一路上又看到了很多被激光定住的地球人。唉，小机器人干的好事！

来到宾馆大堂，我发现这儿的人全被激光定住了，有站着的，有坐着的，还有跑着的。所有的人一动也不动，好像时间突然停了下来。

几位宾馆接待人员站在电脑旁，像泥塑人似的。有个接待员正弯着腰把房间的钥匙递给客人。大堂正中央还站着一个服务生，帮客人提着两只大箱子。还有几个人一动不动地坐在沙发椅上，眼睛睁得大大的，手还比画着，好像前一秒钟，他们还在眉飞色舞地谈论着什么。

就在这时，我听到从隔壁房间里传来闹哄哄的声音。我打开门往里一瞧。哇，还有这么多活着的地球人！他们坐在椅子上，眼睛直勾勾地盯着一个小屏幕。很快我就在这一群人中发现了布爸爸、布妈妈和小布鲁诺。只见那小家伙手里还拿着一个冰激凌。

我抑制不住内心的好奇，也看向那个屏幕，只见一群很小的地球人疯狂地跑来跑去，好像是在追一个小白球，把球追到后又猛地用力将它踢开。真奇怪，好不容易追上了，干吗又踢开呢？

接着房间里的人都嚷嚷起来，看样子机器人没来过这里。

我看到几个地球人一边发疯似的挥着手臂，一边大声喊：“没长眼睛啊！”“噢，天哪！”

布爸爸也气鼓鼓地大骂：“乱套了，乱套了，还让人活不活呀！我晕，裁判的眼是西红柿做的吗？”

“啊，地球人的眼睛是西红柿？”我自言自语道。

不管这么多了，看到这群人还活蹦乱跳的，我就放心了。

我心想，要不要给大家提个醒，让他们避开机器人？可我现在这个样子，还不得把他们吓个半死。算了，还是别让他们看见我了！要不我来个变形？不过，我转念一想，变形要耗费很多能量，我的电都快用完了，还没来得及充电，我要把最后这点能量用到刀刃上。反正这群人一时半会儿也不会有什么危险，索性先不去惊扰他们了，赶快去找机器人要紧！我悄悄关上门又飞了出去。

我穿过宾馆的门飞到外面，在大街上又看到了几个一动不动的地球人。现在我敢肯定，机器人到外面来了！

有个人一边走路，一边打电话，手机还在耳朵旁，就被激光定住了。还有个女地球人用绳子牵着一只白色的动物，它毛茸茸的，长着四条腿。噢，我想起来了，它肯定

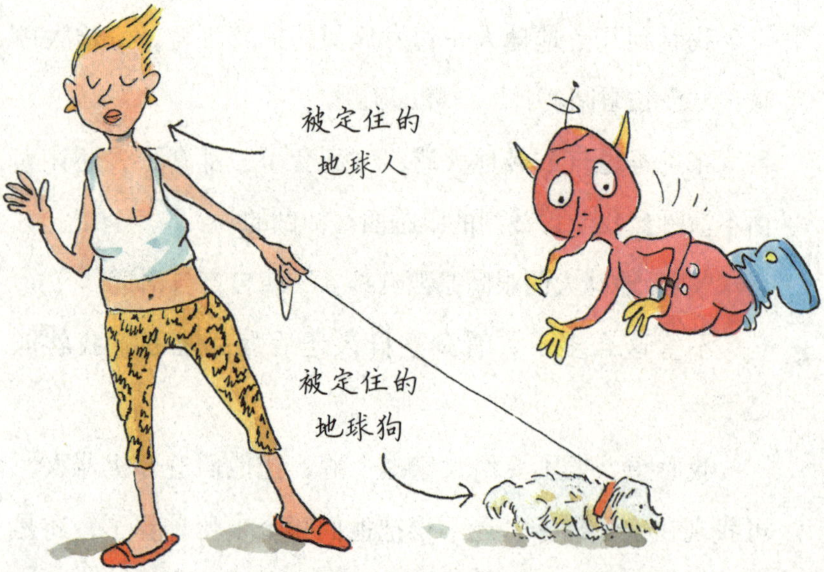

是只狗！唉，可怜的家伙，现在连它也动不了了。

看到这只狗，我突然想起了一些不好的记忆。哼，要不是沙滩上的那只狗，机器人也不会失控！它那泡尿可真是惹了大麻烦！小事酿成大祸，都怪那只狗！

看来狗也不是好惹的，我还是离它远点儿吧。

飞了一会儿，我看到路边停着一辆车，车旁边有四个人，一动不动地站着。车里面坐着一些女地球人，其中一个正把胳膊伸到窗外，和外面的人打招呼，没想到一下子就被激光射中，定在了那里。

不用想，绝对是机器人干的！唉，这家伙到底跑到哪里去了？

我打开导航仪想定位一下它的位置，没想到导航仪的信号受到严重干扰，屏幕上只有一条条的乱纹。肯定是因为机器人的激光！真糟糕！

我沿着马路往前飞，看看能不能发现机器人的踪迹。过了一会儿，我拐进了一条通往海边的小路。我一边飞，一边留意避开地球人，不过还好，这会儿路上刚好一个人影也没有。

突然，从不远处传来一阵阵可怕的声音。天哪，差点儿吓死我了！我缓了缓神，慢慢意识到原来这是地球人制造的“音乐”，是从一个灯火通明的房子那里传过来的。房子门口摆放着一些小桌子，很多地球人坐在桌前有说有笑。

我没敢贸然飞过去，看到旁边有辆车，于是赶紧躲到了车后面。我环顾四周，发现这里没有机器人来过的迹象。人们开开心心地聊着天，面前的桌子上放着大大小小的杯子，盛着喝的东西。有个穿得花里胡哨的地球人，正用两只手拨弄着一个长长的东西。啊，现在我总算明白了，原来是这个东西发出的声音，难听死了！还有，那个地球人边弹边唱，表现出一副很痛苦的样子！

接着我在这群人中发现了布爷爷和马姬。他俩就坐在一张小桌子旁，离马路很近。我赶紧用千里眼仔细观察他俩到底在干什么，只见布爷爷满脸陶醉的神情，马姬看上去比刚才在电梯里精神多了，脸上又恢复了血色，嘴唇上涂了口红。

我把焦距又拉近了一些，发现马姬的眼球不停地转来转去，接着我感觉到她身上散发出一股莫名其妙的负能量。我真想给她做个脑部透视，看看她到底在搞什么名堂，可我的电量已经明显不足，不得已只好放弃。

他们旁边坐着两个女地球人，其中有一个把小挎包挂到了椅子靠背上。我发现马姬老是斜着眼，盯着那个小包看，每次看的时候，嘴角都会微微颤动。她到底在搞什么鬼？

我越看越好奇，便小心翼翼地飞近了些，藏到另一辆车后面。虽然周围很吵，但我清楚地听见马姬对布爷爷说：“嗨，老布，咱俩再搞点儿气氛，行不？”

“这儿就很有气氛了，不是吗？”布爷爷笑着说。

“是呀，当然了，不过要是在你的房间里的话……那肯定更有意思！”马姬压低声音说。

“嗯！是呀，瞧我这破脑子，怎么就没想到呢！”布爷爷眉开眼笑地说。

马姬的声音突然又低了很多：“咱们带瓶葡萄酒去你房间，这样你就可以把那些小秘密讲给我听啦。”

“嗯！好主意！”布爷爷说着，立马站起身，走到一个服务生那儿，说了几句话，然后递给他一些纸币。

就在这一刹那，让我意想不到的事情发生了。

马姬微微侧了一下身子，故意把餐巾丢到地上，装作弯腰去捡的样子，同时迅速把手伸到旁边那人的小挎包里，神不知鬼不觉地从里面拿出了一样东西，然后熟练地藏到了餐巾下面。不一会儿，这东西就进了她自己的小包。最后，马姬得意扬扬地挽着布爷爷的胳膊走开了。

真有意思！我想。

难不成旁边那个女地球人是马姬的同伙，她俩早就串通好了？马姬拿到的莫非是封密信？我就这样瞎琢磨着，一时也搞不明白到底是怎么一回事。

就在这时，我看见机器人沿着马路向这边飞来，一副咄咄逼人的样子，看来这里的人也难逃厄运了。我的大脑开始高速运转，得赶紧想个法子才行，怎么能眼睁睁地见死不救呢？幸好机器人离这儿还有一段距离。

我拉近眼睛的焦距，仔细看了一下机器人那双浅黄色的小眼睛。只见它两眼发出恶狠狠的光，看得我直冒冷汗。

就在机器人离这里还有二十来米的时候，突然，一辆大巴从它后面驶来。车里面坐着很多游客。车猛地拐了一个弯，然后径直朝机器人撞去。机器人好像也意识到自己身处险境，不过它没有躲开，而是转过身，死死地盯着大巴看。唉，这个小不点儿机器人疯了呀，它难道是想用眼神杀死那辆车吗？我看有点儿悬！这个不自量力的小家伙！

我要不要赶紧去救它？还没等我想好这个问题，机器人就已经躺在车轮子下面了。事情来得太突然了！只听咔嚓一声，机器人就像易拉罐似的被轧扁了，接着又被车子甩出去很远。只见它慢慢滚到路边，直挺挺地躺在那儿一动不动。机器人这下子完蛋了！

机器人这下子完蛋了！

又过了几秒钟，我见机器人没动弹，这才敢走上前去。我小心翼翼地走到它身边，发现它的头和一半身体已经变成一堆废铁，左脚完全碎了，眼里恶狠狠的光也消失了。看样子，它身上也不烫了。我伸长胳膊，轻轻地推了它一下，它依旧一动不动。

我顿时松了口气。机器人报废了，也没什么危害了。不过，我的食品分析怎么办呢？唉，算了，还是别提了！

侯悠要是看到机器人的这副惨状，准会伤心死的。不过，不管怎么说，机器人被车轧死，总比被我亲手消灭掉要好得多，我可下不了手。

机器人

第14章　跟踪布爷爷

我一转身，发现布爷爷和马姬早已离开沙滩酒馆。我决定秘密跟踪他俩，看看他们到底要干什么。

我瞥了机器人最后一眼，它还躺在路边，像一堆被碾烂的废铁。反正它也活不过来了，就让它先躺在这儿吧。我悄悄地飞过去，跟在布爷爷和马姬身后。

只见两人手牵着手，慢慢溜达回了宾馆。

“老布，咱俩从宾馆后门走吧，别让人家瞧见了。”我听马姬轻声说，“就这样悄悄溜进你的房间，神不知鬼不觉，多有意思呀！”

“嗯，好主意，亲爱的！”布爷爷回答。接着我听见他冲马姬咯咯地笑了几声。

布爷爷一只手拿着葡萄酒，另一只手搭在马姬肩上，朝后门走去。因为他俩没走正门，也就没看到那些被激光定住的地球人。

他俩推开后门走进宾馆，坐电梯到了四楼。马姬高兴地说：“真好，这会儿终于来电了！”

我从大楼外面直接飞到布爷爷房间的窗户那里，坐在了窗台上。从这儿往里看，整个房间一览无余！

果真不出我所料，布爷爷和马姬很快就进了房间。布爷爷还是满脸微笑，马姬进门后一屁股就坐到了长长的沙发上。

布爷爷拿出两个玻璃杯和一个金属物件，啪的一声打开了酒瓶。

“先放这儿吧，老布，我自己来。”马姬说着从布爷爷手里接过酒瓶，往杯子里倒了一些葡萄酒。布爷爷脱掉外套，挂在门后面的衣钩上。

就在这时，意想不到的事情又发生了。

马姬急匆匆地从手提包里拿出来一个小瓶子，趁布爷爷没注意，把一些液体倒进了他的杯子里。

咦，这是怎么回事？她是不是在往酒里加调料，这样尝起来会好喝一些？布爷爷转过身坐在她旁边，根本没注意到刚才发生的事情。

“干杯！为你的健康干杯！”马姬说。

“不，为你的健康！”布爷爷连忙说。

马姬一直偷偷地瞅着他，见他喝了一大口，她的嘴角又微微颤动起来。

布爷爷用手背擦了一下嘴，皱起眉头撇着嘴说：“哎呀！这酒不怎么好喝呢，真是可惜喽！”

“是吗？我觉得挺好喝呀！”马姬甜腻腻地说。她一边说，一边悄悄注意着布爷爷的一举一动。

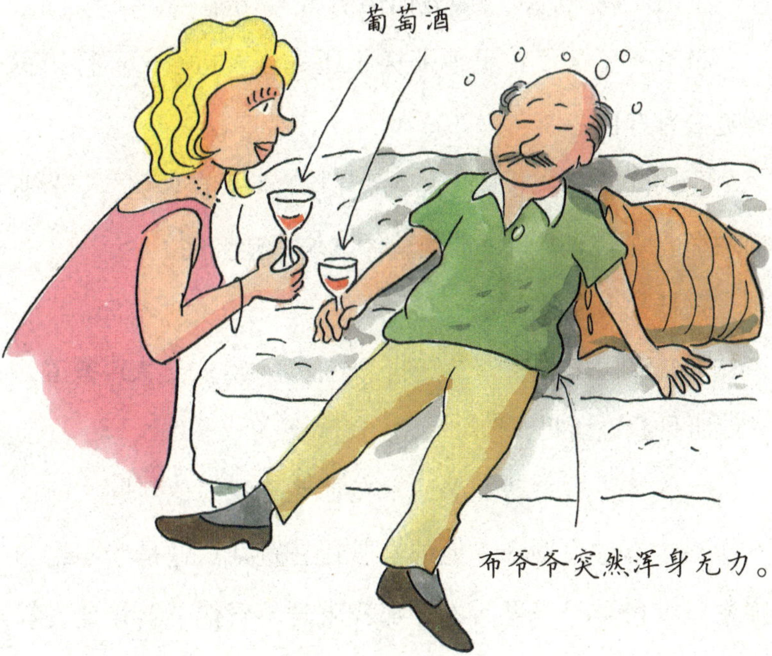

不一会儿，布爷爷张开嘴，打了个大大的哈欠，他揉了揉眼睛说：“咦，这是怎么回事？我感觉浑身没劲。”

他挣扎着想站起来，可怎么也站不起来。“真见鬼！我这是——怎么——”他话还没说完，就眼睛一闭，猛地栽在了沙发上，没再动弹，就像被机器人的激光击中了似的。

我看见马姬不怀好意地笑了笑。只见她走到门后面，从布爷爷的外套口袋里拿出了一个小皮夹子。这个皮夹子我刚才见过，布爷爷就是用那里面的钱买了瓶葡萄酒。

拿到皮夹子后，马姬就悄悄溜出了房间。

布爷爷怎么了？看他那样子还真让人担心。不行，我要进去看看！

我从口袋里拿出那把黑色激光枪，对准窗玻璃，只听啪啪啪啪一阵响，瞬间，玻璃就像冰块一样融化了。

我赶紧飞到房间里。

“你怎么了，布爷爷？”我一边摇晃他，一边大声喊道，“能听见我说话吗？”

布爷爷还是一动不动地躺在那儿，我问他问题，他也不回答。不过我发现，他的心脏还在跳动。这是个不错的迹象！看来布爷爷还活着。那我就先不管他了，让他安静地躺会儿吧。

第15章　马姬是个贼

反正现在回到宾馆了，我正好回趟浴室，先充一下电再说。现在我的身体非常虚弱，要及时补充一下能量才能行动。

我穿过门上被机器人撞开的洞，轻而易举地回到了房间。布家人还没回来，说不定他们还在楼下盯着那个小屏幕，看那些小人儿发疯似的跑来跑去呢。

我从浴缸里拿出充电器，接到电源上充起了电。趁这空当儿，我得赶紧给杂志社发条信息，无线电信号很差，不过我还是成功地发了出去，希望编辑能很快收到我的信息。

：辑编的爱亲

。弃放好只析分品食

！祸大了闯人器机
，光激命致射发它
。人球地多很了住定
，码密报谎9Y蛋坏
。废报已人器机
。除解已险危好还
！您候问里缸浴在
3Y

充足了电后，我打算先去看看布家人。在一楼大厅里，我看到很多地球人正慌慌张张地朝宾馆外面跑，看来他们已经发现了那些被定住的地球人。

“我的天哪！这可真是一大奇观！”我听布鲁诺喊道。布爸爸和布妈妈也吃惊地看着那些被定住的地球人，不明白到底是怎么回事。

布爸爸最先看到了我，冲我喊道：“小古斯！”刹那间，布家人都朝我拥了过来。布爸爸手疾眼快，赶紧抓住我的胳膊小声说：“快进来！躲这儿，别让人看见你。”说着，他把我推进一个亮堂堂的房间。一进来我才知道，这里原来是宾馆的厨房。

厨房里也有三个被定住的地球人，他们手里拿着做饭用的勺子和锅，还有一个人弯着腰，正准备从冰箱里拿东西，只见他右手拿着食物，冰箱门大开着，里面的冷气呼呼地吹到他的脸上。

“天哪，小古斯！”布爸爸吃惊地问，“你知道这是怎么回事吗？”

“嗯，机器人刚才失控了，疯了似的发射激光，把很多地球人给定住了！”我对布家人说。他们吓得脸上顿时没了血色。

布家人看上去很害怕的样子。

“啊？你说……机器人……这是……”布妈妈指着那些被定住的人，吓得语无伦次地说。

“没事，放心吧，这只是暂时的。”我安慰道，“虽然现在还救不了他们，不过总会有办法的。”

“但愿如此！”布爸爸大声说。

“其实都怪那只狗！”我解释道，“噢，还有我的同事Y9，他给了我错误的密码，我刚输入密码，机器人就失控了。它开始疯狂地发射激光，就这样把人给定住了！”

“妈妈咪呀！”布妈妈叹了口气说。

“天哪！还有这种事！”布鲁诺随口说道。

“还好，危险已经过去了。”我继续说，“机器人报废了。它刚才被一辆车碾碎了，现在还躺在路边呢。”

“什么？被车轧死了？这么惨啊！”布爸爸叹息着说。

“咦？布爷爷哪儿去了？”布妈妈环顾四周说，“希望他没遭遇什么不测！”

“爷爷也被定住了吗？”布鲁诺担心地问。

“没有！放心好了！”我说，“他很幸运，没碰到机器人，这会儿就在房间里。刚才马姬让布爷爷喝了什么东西，他就躺在沙发上睡着了。我猜他没什么事。”

“什么？马姬去他房间了？”布妈妈不解地问。

“嗯，不过她拿着布爷爷的皮夹子跑了！”我说。

“那个马姬竟然偷钱包！本来看着挺好的，怎么会是这样的人？”布爸爸生气地说。

“嗯，没错，我看到她拿钱包了，但我不明白她为什么这么做。”我说。

“哼！她是个小偷！”布鲁诺生气地说。

“唉，这些乱七八糟的事怎么偏偏赶在足球决赛的时候发生？”布爸爸抱怨道，“先是宾馆停电，又是这么多人被激光定住。我说小古斯，瞧瞧你惹的这一堆子麻烦事儿！”

“啊，决赛，什么是决赛？”我趁机问。

一旁的布鲁诺向我解释道：“是世界杯足球赛！今天刚好是德国对意大利，上半场德国1:0领先。”

我还是没搞清楚决赛到底是什么。不过我敢肯定，这和屏幕上那些跑来跑去的小人有关系。

“唉，小古斯，球赛全让你搅和了！”布爸爸叹了口气说，“希望下半场比赛我们还能赶上。对了，小古斯，你能赶快摆平这档子事吗？”说着，他指向那几个被定住的地球人。

“没问题，放心好了！我会尽力的！”我说。

布爸爸摇了摇头说：“但愿如此吧！”

“我先上楼，看看他爷爷怎么样了。”布妈妈说。

“嗯，好！我去大厅看看那些被定住的地球人。”我说。

说完我立马缩小身体。我可不想再引起不必要的恐慌了！

“我和你一块儿去！”布鲁诺喊道。说着他拿起缩小了的我，把我放到了肩上。

“不能去，布鲁诺，你给我回来！”布爸爸连忙大声说，“你最好给我老老实实地待在这儿！”

还没等布爸爸把话说完，布鲁诺就飞奔出去了。

他带着我穿过大厅，来到宾馆门口。外面站着很多地球人，还有几辆车。布鲁诺向我解释道：“他们是警察和医护人员，是来救这些被定住的人的。”

我一看就知道，单凭这几个人，肯定救不了那些被定住的人。他们也太小瞧机器人的激光了！我要赶紧想点法子才行。

第16章　机器人复活

走出宾馆，我看到对面有家冰激凌店。店主正弯着腰，一手拿杯托，一手给客人用勺子挖冰激凌球。我看了一会儿，发现店主并没有动。我再仔细一瞧，原来他也被定住了，杯托里的冰激凌球已经开始融化了，正啪嗒啪嗒地往下滴。看样子机器人刚才来过这里。

我环视四周，又看到一个女地球人。没错，这人正是马姬。她一手拎着小箱子，正火急火燎地沿马路一路小跑，看样子正打算离开这儿。布鲁诺也看到她了，吃惊地大喊：“快看，是马姬！”

她在一辆小车旁停住脚，打开后备箱，打算把箱子塞进去。

“她想拿着爷爷的钱包逃之夭夭！”布鲁诺说，“怎么办？小古斯，快想想办法呀！”

我还没来得及回答，就看到机器人从一个拐角处飞了过来。它离马姬也就十几米远。“啊——机器人怎么又活了？”我自言自语道，“这怎么可能？我明明看到它已经被车轧碎了呀。”我再仔细一看，可不就是机器人嘛！它看起来毫发未损，根本就没有被车轧过的痕迹。它的头还是红通通的，身体像触电似的哆嗦个不停。

布鲁诺也看到机器人了，大声喊道：“噢，天哪！那不是机器人吗？它不是早就死了吗？”

“是呀，我明明看到它已经不动弹了呀！不好，可能它会自我修复！”

我真没料到会发生这种事！你说，我怎么就没在那里好好看着它呢？唉，现在后悔也晚了！

就在这时，我看到机器人径直朝马姬飞去。

“不要！”布鲁诺大喊，“小古斯，快，快！”

马姬根本就没看到机器人。她背对着机器人，正忙着把箱子往车子的后备箱里塞。

机器人对准马姬开始发射激光。我和布鲁诺眼睁睁地看着她当场就被定住了。她弯腰趴在那儿，动弹不得了。

“哇——太不可思议了！”小布鲁诺喊道。他简直不敢相信眼前发生的这一切。

我趴到他耳边悄悄说：“快！快回宾馆！这儿很危险！”

果然不出我所料，机器人把马姬定住后，又朝我们这边飞过来。

要赶紧采取行动！

我绝对不允许机器人用致命激光伤到布家人！

只剩下最后一招了！我要把机器人粉碎成原子！抱歉了，机器人！

这时我又想起了侯悠，这个机器人可是她精心制作的！说实话，我还真有点舍不得害死它。不过我实在没有其他选择呀！侯悠，对不住了！

好吧，既然车都轧不死你，那就看我的吧！

我朝机器人飞去，在离它不远的地方，赶紧从口袋里掏出激光枪，对准机器人，只听咔咔咔咔一阵枪响过后，机器人顿时就像着了火似的。

为了确保万无一失，我接着开枪，又是咔咔咔咔一阵枪响！机器人的身子晃了晃，又稳稳地站住了！

没想到，这机器人可真结实！要是别的东西，早就粉身碎骨了！

我又举起激光枪，咔咔咔咔咔咔咔咔咔！

只见机器人后退了几步，又慢慢朝我走过来。

我有点心慌了，连激光枪都拿它没办法，这下子我大概是死定了！

我刚放下枪，机器人就朝我发起了进攻。激光不左不右正好打在我身上，我全身开始猛烈抽搐，飞行鞋也不管

用了。最后，我重重地摔在了马路上。

我使出最后一丝力气，想爬到马姬的车后面先躲一下。可是，还没等我爬过去，机器人就向我发起了新一轮的进攻。激光重重地打在了我的身上。我摇晃了几下，立马失去了知觉。

醒过来后，我下意识地用手颤巍巍地按了一下身体上的紧急按钮。唉，我一个人在地球上，谁会来救我呢？

“救——命——”我痛苦地喊道。

机器人竟敢伤害自己的主人！这已经触犯了高尔奇星球的机器人法！机器人已经完全失去了控制，成了一个非常危险的家伙。

我看了看机器人，发现它这会儿也踉踉跄跄的，站不稳了，看来我的激光枪还是发挥了点作用。

突然，机器人啪的一声栽倒在地上，全身哆嗦个不停。这会儿它全身已经快烧成透明的了！最后它头上又射出一束激光。激光划过夜空，可真是恐怖！

“啊，该死！”机器人愤怒地喊道。说完，它就趴在路上不动了。

它还会醒过来吗？

要是那样的话，我可就惨了！

就在这时，我看见布鲁诺从不远处呼哧呼哧地往这边跑。他要干什么？我想冲他大喊几声，让他别过来，赶快逃命去，这里太危险了。可无论我怎么挣扎，也说不出话来。

我的身体已经有一部分瘫痪了，坐在那儿动弹不得。要是机器人再给我一击的话，估计我就会命丧黄泉了。

我浑身无力，身子往后一仰，头猛地碰到汽车轮胎上，车胎发出一阵刺耳的声响。

就在我完全绝望的时候，意想不到的事情发生了。我感到体内流过一阵暖流，接着脑袋瓜里产生了一些积极的想法。

我想到了爱好和平的高尔奇星球、舒适惬意的小房子，还有忠诚的机器人小马莫步，它这会儿肯定正乖乖待在家里等我回去呢。我想到了侯悠，幻想着和她一起飞过芳香四溢的森林，去参观那14座火山。我想到了美味的披油，让我重新焕发出活力……

大脑怎么突然会有这种变化呢？噢，我想起来了，这是高尔奇星球技术部的一项最新发明。在万分紧急的情况下，大脑会自动产生一些正面的想法，这样人们也就不会觉得死亡很可怕了。看来我的内部程序设计得很完美。

接下来发生的事情，我只能模模糊糊地回忆起大概的情景。

我感觉好像是布鲁诺救了我的命。不得不说，他的确是个非常勇敢的男孩。看我身受重伤，他灵机一动，迅速跑到宾馆对面的那家冰激凌店，弄了一大杯冰激凌，又快马加鞭地跑回来。我半睁着眼，看他悄悄地从后面走近机器人，趁它不备，猛地把冰激凌扣在了它的头上。

凉飕飕的冰激凌立马把它严严实实地裹了起来。只听机器人在杯子下面，无力地发出嗞嗞的声响。

机器人一接触到凉的东西，
顿时发出嗞嗞的声响。

还记得上次在沙滩上，我把冰凉的汽水洒到机器人身上，让它平静了下来。这次冰激凌的效果应该也不错。真好！危险终于暂告一段落了。

布鲁诺俯下身子，摇晃着我，担心地说："小古斯！醒醒！快醒醒！你没事吧？"

我感觉浑身没劲儿，怕是快坚持不住了，我有气无力地说："我的充电器……在浴室里……快……"

我这个忘事精！这次出来又忘了带充电器！

怎么越来越像地球人了呢，简直无法原谅！

这次多亏了布鲁诺！他很机灵，反应快，抱起我就赶紧往宾馆跑。

第17章　救命的密码

五分钟后，我充足了电。虽然身体还是在一个劲儿地打战，但我感觉精神比刚才好多了。我恢复到原来的大小，布鲁诺站在我旁边，看着惨不忍睹的浴室说：“天哪！瞧这儿都弄成什么样啦！”

洗漱池碎成了几块儿，马桶盖和按钮也坏掉了，到处都是七零八落的瓷砖碎片。还有卫生间的门也破了个大洞。

“真恐怖！”布鲁诺缩了缩头小声说，“搞成这样，我们可惨了！赔又赔不起，爸妈这下要气疯了！”

“唉！要是机器人没事就好了。它花不了多长时间就能把这儿修复得崭新如初。不过，就现在的情况看，怕是没这个希望了。”

“唉，倒霉！”布鲁诺说，“你的机器人可真是个危险的家伙！”

“嗯，机器人一失控，我就拿它没办法了！”我说，“希望冰激凌的制冷效果能持久些，这样机器人一时半会儿还醒不过来。”

“是啊，但愿如此！”布鲁诺叹了口气说。

就在这时，我的无线电收发机振动了一下。

是来自高尔奇星球的信息！

接通后，我感受着来自高尔奇星球熟悉的电波。只听那边传来一个熟悉的声音。哇，好开心呀！是侯悠！

“喂，Y3！”这次信号不错，她的话我听得一清二楚，“我是来自高尔奇星球的侯悠！Y3，听到请回答！”

“我是Y3！”我高兴地大喊，“你的话我听得很清楚。”

“《大爆炸》杂志社的编辑把你上次发的信息转发给我了。我这次联系你，是想看看能不能帮上什么忙。”

我顿时松了口气，心里感觉暖暖的。是侯悠，没错！只要有她在，我就不用担心了。

“噢，天哪！”我说，“你的机器人可真是个危险的家伙！”咦，我说话的口气怎么越来越像布鲁诺了呢？

“嗯？什么？我没明白你的意思，”侯悠回答，“希望你能说得详细点儿。”

我立马言归正传：“机器人出问题了。它完全失去了控制，还不停地发射致命激光。”我三言两语地描述了一下眼下的情况。

侯悠说话时，声音听起来有点自责：“机器人开启了自我防御系统。我原来希望它能在必要时保护你。要不是那只狗的话……唉，我真没想到在地球上竟然会发生这种事情，否则我在设计机器人时，肯定就考虑到这一点了。”

“明白！”我回答，“对了，先把密码告诉我吧！我得赶紧修一下机器人。要是等它再恢复过来，没头没脑地搞破坏，我可就真完蛋了。”

“Y3！”侯悠说。

“什么？”我问。

“密码是Y3！”她又重复了一遍。

“啊？是我的名字？为什么？”我吃惊地问道。

侯悠柔声细语地说：“噢，这个……是这样的，我在造机器人的时候，刚好想到了你。”

我又一次感到心中暖暖的。今天我一定要好好把握这个机会，和她说说心里话：“听你这么说，我很开心！难得你在工作时还想着我。其实，我也经常想起你。”

侯悠没接着我的话往下说，而是转移话题问道："Y3，你打算怎样让定住的地球人活过来？"

"啊？什么？"我没想到她会突然这么问，说实话，我都不知道刚才自己的思绪飞到哪里去了。

我想和她说说心里话。

"你想怎样救那些被定住的人？"她把刚才的话又说了一遍。

"噢，是这事，你有什么好的建议吗？"

"用你的小星星试试！"她直截了当地说，"你鼻子里还有小星星吧？”

“嗯，还有很多呢！”

我们高尔奇星球上的小星星很神奇，不管用在哪儿都能产生特别神奇的效果。如果这一招儿管用的话，那就谢天谢地了。

多亏侯悠提醒我，要不然我还真没想起来。

“嗯，好主意！”我兴奋地大声喊道，“可以试试！”

“那还需要帮忙吗？”侯悠问。

“不用了，其他一切进展顺利。”

“食品分析怎么样了？”

“先前做了一部分，后来因为机器人出故障，就不得不中断了。现在要把它先修好才能继续进行。”

“明白了。祝你好运！帕拉豆宇！”侯悠非常礼貌地和我道了别。“帕拉豆宇”是高尔奇语的特有用法，意思是：“和你谈话，我很高兴。希望你一切顺利！”

接着我听见咔嚓一声，通话结束了。

“是谁？有什么好消息？”布鲁诺问。噢，布鲁诺还在一旁，我差点儿就把他给忘了！

“我的大救星！是高尔奇星球技术组的人，她给了我恢复机器人的密码。我要趁机器人还没醒过来，赶紧修理一下它。还有，我知道怎么救那些被定住的地球人啦。”我高兴地说。

“那就赶快动手吧！还等什么？”布鲁诺兴奋地大喊，“如果我们抓紧的话，或许还能看到下半场决赛！”现在我明白了，他指的是世界杯足球赛！

接下来，我就要和时间赛跑了！我打开窗子，呼地一下飞了出去。

“噢，天哪！小心点儿，小古斯！”我听布鲁诺喊道。

我紧了紧背包肩带，穿过大厅，从宾馆正门飞了出去。有几个没被定住的人伸长脖子追着我看，还激动地用手比画着什么。看到外星人，这可是不得了的事儿！估计明天我要上地球人的报纸啦！

唉，我也顾不上那么多了，要赶紧去机器人那里！

我飞到刚才的地方，掀开冰激凌杯托，发现机器人依旧一动不动地待在那里。这会儿，冰激凌早化了，机器人浑身黏糊糊的。

我小心翼翼地打开机器人后背上的盖子，盖子还有点热，我用手指尖在键盘上敲出了：**“！置设厂出复恢统系”**

机器人生硬地回答：**“！码密入输请”**

这回我可不能再犯错了。

我屏住呼吸，输入了侯悠给我的密码“Y3”。

我刚输完，就看到机器人头上的绿灯又亮了起来。

它站了起来，只听唰唰唰一阵响，系统恢复成功。

最后机器人说：“一切恢复正常！等待新任务！”

“哇！这小家伙终于好了！”我下意识地笑了一笑。笑得很成功！我感觉自己越来越像地球人了！要知道，我们高尔奇人是从来不会笑的，因为我们面部的肌肉设计得有

点僵硬，很难做出微笑这个表情。不过我上次来地球时，就向地球人学了这一招儿。这段时间我一直不停地练习，真是功夫不负有心人，我终于学会微笑啦！

“暂时没有新任务。你可以进入待机状态。”我接着说。

我赶紧把机器人塞到背包里，然后朝马姬飞去。她还是一动不动地趴在车后备箱里。我打开她的包，翻了一会，终于找到了布爷爷的钱包，我把它塞进背包里，又朝宾馆飞去。

当时的情景，我至今还记忆犹新，回宾馆的路上我一直保持着微笑这个表情，好像我一停下来就再也不会笑了似的！

第18章　神奇的小星星

果然不出我所料，地球医护人员根本救不了那些被定住的人，瞧他们愁眉苦脸的表情我就知道了。唉，这些可怜的地球人，还是保持刚才那些姿势，动也动不了。医护人员正激烈地讨论着什么，围观的人有的忙着打电话，有的正啪嗒啪嗒地按手机，好像在上网查信息。不过我看他们纯粹是瞎忙活。

看到我往他们这边飞，很多人又开始嚷嚷起来。

“见鬼！这是什么玩意？”

“快滚开！”

“救命呀！外星人来了！”

唉，我有那么吓人吗？用得着这么大惊小怪的吗？

有几个人赶紧跑回宾馆把自己藏了起来。一个警察拿了把手枪对准我。看来他还不知道，像这种老掉牙的玩意儿，我一点也不怕。我的身体结实着呢，子弹根本就穿不透。

“不要开枪！那是我们的小古斯！”我听布爸爸喊道。

就在这时，我伸长鼻子，朝那些人喷起了小星星。金色的小星星一落到地球人身上，立马产生了神奇的效果。

突然，看到我这个外星人他们也不害怕了，反而兴高采烈地跳起舞来。每个地球人的脸上都绽放出灿烂的笑容。

“多美妙的夜晚呀！”我听他们喊，“看夜空中那弯弯的月亮！”

警察们手挽着手跳起了舞。

“生活多美呀！生活真美好！”他们唱道。

医生和护士也手挽着手，围成一个圈，开心地跳了起来。

哇，好开心呀！那些被定住的地球人又动起来啦！他们先是吃惊地看了看周围的人，接着哈哈大笑起来，不一会也加入他们的行列，高兴地跳起了舞。

我心满意足地回到宾馆，在那里又喷了一些小星星，让那几个被定住的地球人也恢复过来。

走进布爷爷的房间时，我看见布妈妈就坐在他身边，小布鲁诺也在这儿，他给爷爷接了一杯水。

“噢，天哪！”布妈妈看见我惊呼道，“小古斯，瞧你把宾馆弄成什么样啦！我们该怎么办呢？”

我安慰她：“放心好了！现在一切都过去了。那些地球人早就没事了，机器人也修好了。对了，这是布爷爷的钱包。”说着我从背包里掏出钱包，放在了桌上。

“竟然有这种事！真奇怪！”布爷爷说。

“我刚才把马姬的事都告诉爷爷了。”布鲁诺说。

“唉，真是人心隔肚皮呀！我万万没想到，她竟然把我的钱包顺手牵羊给拿走了。”布爷爷说，“她怎么看也不像小偷呀，那么漂亮，那么优雅……哎哟，我的头，疼死了，疼死了……”说着，布爷爷两手抱着头，疼得大叫起来。

“哎呀！马姬下的药还真厉害！”布鲁诺说。

唉，可惜地球人的头盖打不开，要是能打开的话，我就可以帮布爷爷修理一下脑袋瓜了。

“唉！这个大骗子肯定逃之夭夭了！”布爷爷叹气说。

“还没有，布爷爷！这会儿她还趴在车子的后备箱里呢！她刚才往里面塞箱子的时候，机器人把她定住了。我还没给她喷小星星呢。”我连忙告诉布爷爷。

“什么？把她给定住了？”布爷爷吃惊地问。

“嗯，是的，机器人用激光把她定住了。”我略带自豪地说，“看，我的机器人还做了点好事！”

“那她现在可逃不掉了！”布爷爷大喊，“赶紧给警察局打电话！咦，我的手机哪儿去了？”

“不用打电话了，警察就在楼下！”布鲁诺说。

我们走到楼下，发现大家还在兴高采烈地跳着舞。

“我的老天爷！这是怎么啦？”布爷爷吃惊地问。

布爸爸跑到我们跟前，挽住布妈妈的手臂，唱道：“今天，一切是如此美好……”

“哎哟！你是不是脑子进水了？”布妈妈担心地说。

有个警察把警帽往后一转，装出酷酷的模样，扯着嗓子唱道：“啊，我的太阳，那就是你！”一旁的布鲁诺告诉我，这是一首非常有名的意大利歌曲。

还有个地球人唱道：“快乐是淘气的小精灵……”

还有些人一边鼓掌，一边唱道：“啦啦——啦啦——啦——”

歌声、笑声和欢呼声在宾馆大厅里此起彼伏。

“瞧瞧，瞧瞧这一伙！太不像话了！你们到底是不是警察啊？简直是胡闹！”布爷爷生气地说，“唉！这里还有个案子等你们办呢！真是的，钱包被偷了，也没人管！”

“什么？”有个警察问，“你刚才说什么？”

“被盗喽，被盗喽！”有个人愉快地哼着。

布爷爷一听这个，气不打一处来，双手叉着腰，怒喝道：“我要求你们立马还我公道！小偷现在还在外面的车旁边！”

“我的车哟，我的车！满载而归！啦啦啦——里面还有个女扒手……”有个警察胡乱哼哼一气。

“够了！够了！简直是胡闹！”布爷爷没好气地一把抓住那个警察的胳膊，把他拖到宾馆外面，“快给我过来！这事儿你得管管！谁让你是警察呢！”

我和布鲁诺跟着他们走了出来。

警察还是哈哈大笑着。突然，一切都变了！他一下子严肃起来，皱着眉头，一副公事公办的样子，问道：“嗯，这儿怎么回事？”

看来，我刚才喷的小星星的效果在减退。

他看着一动不动的马姬问道：“喂，您好！请问您怎么了？睡着了吗？”

马姬还是刚才的姿势，头伸在后备箱里。我赶紧给她喷了一点小星星，她一下子就苏醒了。

“嘿，我这是在哪儿？”她咯咯地笑着问。她站起身，头砰的一声撞到了后备箱的盖子上，接着若无其事地说：“多浪漫的夜晚！老布，你还在这儿，真是太好啦！怎么了？瞧你这气鼓鼓的样子……”

“哼，我怎么了？你反倒问起我来了！我怎么了，你不比我更清楚？”布爷爷怒气冲冲地说，“我对你够好的了，你说你怎么能这么对我？我真是瞎了眼，亏我这么相信你！”接着布爷爷转过身对警察说：“这个女的刚才给我服了什么药，让我一下子晕了过去，然后神不知鬼不觉地把我的钱包偷走了！”

“咦？我做错什么了？”马姬说，“瞧！今晚的星空真美！”

“安静！”警察说，“现在请你们详细陈述一下事发经过！”

布爷爷冲着马姬喊道：
“你怎么能这么对我？”

“哼，你这个扒手！”布爷爷又嚷嚷开了，“真是太让我失望了！”

“老布，你怎么能这么说呢，我到底做错什么了？”马姬说着，在原地转了个圈，手舞足蹈起来。

“这位女士是小偷？”警察疑惑地问。

“是的，没错！就是她！”布鲁诺喊道，“小古斯看到事发经过了，刚才还从她的包里找到了爷爷的钱包！”

“嗯，布鲁诺说得没错！我看到她偷爷爷的钱包了。”我指着马姬说。

警察睁大眼睛看着我，好像刚刚看到我似的。

“噢！这样啊……你是……小古斯？你看到她偷钱包

了？”警察说完转向马姬，厉声说：“请您打开手提包！”

马姬乖乖地打开包。警察在里面发现了四部手机、两个钱包，还有很多块手表。

“请您跟我来！”警察命令马姬。

“哼！这就是做坏事的下场！”布爷爷嘟嘟囔囔地说，“接受法律的制裁吧！”

“生活多美呀！”马姬喊道，“我今天实在是太高兴啦！”

“跟我来！”警察怒喝道。

马姬右手搭在警察肩上，还在跳舞，就被警察推推搡搡地带走了。

“您可真帅气！”我听马姬说，“能告诉我您的名字吗？”

“别花言巧语了！您被逮捕了！”警察严肃地说。

上警车的时候，马姬还咯咯地笑着说：“什么？被逮捕了？太棒了！”

“瞧瞧，你们赶紧瞧瞧！还有这种人！真是少见！”布爷爷嘟囔道，“亏她还笑得出来！”

“是因为我刚才喷的小星星，过一会儿她就会清醒。”我说。

“是该让她清醒清醒啦！”布爷爷回答。

第19章　给Y9发臭鞋数据

我缩小身体，又站到布鲁诺的肩上，让他把我带回了宾馆。我猜刚才喷的小星星已经不管用了，我可不想让地球人再看见我。唉！这一会儿缩小，一会儿变大的，可真烦人，还耗了我不少能量！

果然不出我所料，小星星已经不起作用了。我看大家又恢复到了原来的样子。至于刚才发生的一切，他们肯定都不记得了。警察和医护人员现在也没事干，就坐着刚才开来的车回去了。

有些地球人正在板着脸打电话。人们又开始忙碌起来，就像刚才什么事都没发生一样。

我刚走进宾馆就吓了一大跳。

从旁边的一个房间里传来一阵阵呐喊声。那个气势，不管谁听了都会害怕！到底怎么了？我还从来没见过地球人如此兴奋！

“射——门——”我听见有人大喊，“哇，太棒了！进了！进了！”

布鲁诺和爷爷三步并作两步冲进了那个房间。我立马感受到一股超强的正能量。我扫视了一下整个房间，发现布爸爸和布妈妈也在这儿！他俩也是激动万分的样子，挥舞着手臂，身子跟着晃来晃去。我看到那个小屏幕上正在回放一个慢镜头，有颗白色的球飞进了网中。就这么一个镜头，足足回放了三遍！

我真是不明白，为什么这个镜头会搞得大家伙如此兴奋。

这还不算，只见屏幕上的那些小人也高兴地手舞足蹈起来。他们大声喊叫着，紧紧地抱在一起，在地上打起滚来。

“真有趣！”我对布鲁诺说，“他们为什么这么高兴？”

房间里太吵，布鲁诺说什么，我也听不大清。

“噢，天哪！太棒了！”我听他扯着嗓子喊，“德国队2:0打败了意大利队！我们是冠军！”

“Olé！Olé，Olé，Olé！”我听见布爸爸和其他人一块儿大喊道。布鲁诺在一旁给我解释：“‘Olé’是西班牙语中表示欢呼的词儿。”

我还发现了一件很奇怪的事。房间里大多数人都高兴得像炸开了锅，而有几个人却垂头丧气地走开了！我听见其中的一个还叹了口气说：“妈妈咪呀！真是场大灾难！”

至今，他这句话还深深地印在我的脑海里。

现在我要休息一下了。我悄悄地离开布鲁诺，回到了浴室。

我要赶紧给高尔奇星球发条信息，把这个好消息告诉他们！

：辑编的爱亲

——道报的球地自来是面下，3Y是我

，了心担用不

。中之控掌在都切一

，人球地的趣有些一了到碰

！常正复恢已人器机

。析分物食行进续继后稍

，闻新条有还，了对，噢

：趣兴感会人奇尔高有许或

。军冠杯界世了得夺国德

！悠侯下一候问我代

3Y

刚写完这条信息，我就想起了同事Y9。他故意给我错误密码，简直不可饶恕！在高尔奇星球上，不允许有人说谎话。Y9这家伙已经触犯了道德底线！

当然，老是向编辑说他的坏话也不明智，所以我在信息里也没再提这事。不过我想，要是让我逮着机会，我一定以牙还牙，让他尝尝我的厉害！哈哈，我心里已经打好了小算盘！

我小心翼翼地把机器人从背包里拿出来说：“准备执行新任务！”

“好的，没问题！”机器人回答。它头上的绿灯立马亮了起来。看来它终于恢复正常了。

“把先前的食物分析数据传给我！”我命令道。

“明白！”机器人回答。接着在很短的时间内，它就把数据传到了我的硬盘上。

一切正常！

不一会儿，我又和高尔奇星球取得了联系。我直接连线同事Y9的办公室，给他发了条信息：

：9Y事同的爱亲

。法方饪烹的肴菜味美道一你给传意特我，码密的人器机我了给你谢感了为！助帮的你谢谢

！乐快心开祝

3Y事同

接着，我把机器人分析的拖鞋数据传给了他。真没想到，连这些数据最后也派上了用场！

“哈哈，Y9，看咱俩谁厉害！”我笑了笑说，“让你尝尝臭拖鞋的味道！”

机器人生硬地说："没听懂你的话。请重复一遍！"

"噢，我不是和你说的，就当我没说！"我连忙回答。

"你说过的话我都记下来了，想不承认可不行！"它说，"我以前就告诉过你了。请牢记！"

"好吧，好吧！算我败给你了！"我喊道。

机器人立马回答："为什么这么说，我们又没打仗，你怎么败了？请详细说明！"

"你的新任务就是把刚才破坏的所有东西恢复原状！"说着，我指了指门、马桶、洗漱池和满地的瓷砖碎片。

"明白！立即执行！"说完，机器人立马投入到紧张的工作中。不到一分钟，它就把所有的东西恢复成了原样，整间浴室顿时崭新如初！机器人这次工作做得不错，干净利索！我对它非常满意。

第20章　快乐的最后两天

在接下来的几天里，事情进展得也很顺利。机器人再也没出什么状况，它又像从前一样工作严谨、认真，成了我忠实的小助手。每天晚上，我和它都会变成撒盐瓶和胡椒瓶，站在布家人吃饭的桌子上。就这样，我们获取了很多宝贵的食品数据。

这些数据主要来自意大利面。我看地球人都特别喜欢吃这种面，而且天天吃。布家人吃了不知道多少顿面了，每次都吃得津津有味。最后我也忍不住尝了一下，哇，简直就是人间美味啊！用意大利面的数据，我肯定能研制出美味的披油和福谷物。付出肯定有回报！

想到这儿，我的大脑持续兴奋了好长时间。

有一天晚上，我告诉布家人：“我想，我很快就能完成此行的任务了。我打算近期返回高尔奇星球。”

“噢，天哪！”布鲁诺吃惊地喊道，“这么急干吗？小古斯，再多待几天呗！没有你，我肯定无聊死了！”

“你真要走吗？”布爷爷问，“我还想和你下象棋呢！”

“是呀，小古斯，再待几天吧！”布爸爸和布妈妈异口同声地说。

既然大家都这么盛情挽留我，我只好说：“嗯，那好吧，我再多待两天。如果这段时间有什么需要的话，尽管说。看我的机器人给你们惹了这么多麻烦，我也想好好弥补一下。”

“其实也没有啦！”布爷爷笑着说，“它也做了不少好事呢！我们在高速公路上把人家的车子给撞了，还不多亏了它，一眨眼的工夫就修好了。还有马姬不也是它逮着的？”

“话是这么说，但我心里还是有点过意不去，想为大家做点儿什么。”我说。

“好吧，小古斯！”布爸爸说，“给我点儿时间，让我好好想想。”

在接下来的两天里，布家人天天躺在沙滩上，懒洋洋地晒着太阳。我很喜欢陪着他们，一开始的时候，我还带机器人一块儿去，但后来发生了一段小插曲。

有一次，布鲁诺调皮地在沙滩垫上跳来跳去，结果不小心把汽水瓶弄翻了。汽水呼哧一下洒到了机器人身上。机器人立马站起来，头上又亮起了红灯。

这下可把大家吓傻了！

“噢！不要——”布鲁诺尖叫道。

“啊，它不会又要大闹一番吧？”布爷爷皱着眉头说。

幸亏机器人一会儿就好了，真是虚惊一场呀！布妈妈小心翼翼地擦干机器人，它还礼貌地对布妈妈说了声：“多谢！”

突然，我又想起了那只该死的狗。唉，沙滩上人来人往，小宠物也不少，万一再出什么情况，那可就糟了。我索性把机器人带回宾馆，放到浴室里，没再让它出来。

布家人懒洋洋地躺在沙滩上。

布爸爸在躺椅上伸了个懒腰说：“真是享受呀！”

“好棒呀！这下我们都晒成小麦色啦！”布妈妈高兴地大喊道。

为什么成了小麦色就很棒呢？为什么地球人的皮肤还会变色呢？为什么变色后他们还这么高兴呢？我心里冒出一连串的问题。

布妈妈看了我一眼，羡慕地说：“瞧小古斯的红皮肤多好看呀！也用不着晒，就那么漂亮！不用涂防晒霜，也不怕太阳光，真好！”

我吃惊地问：“为什么小麦色就好看呢？”

可惜我的问题也没得到满意的答复。

“看起来漂亮呀！”布妈妈说。

布鲁诺嘟囔道：“我才不在乎自己的肤色呢！”

在沙滩上，他一直玩着那些电动玩具，偶尔拿起潜水镜，走几步到海里去泡泡，要么就是吃冰激凌。

在最后两天，我还真帮了他们不少忙。虽然干这干那有点耗能量，不过看大家都挺开心的，我也就心满意足了。

太阳光很强的时候，我就变成一把大的遮阳伞，其实他们早有一把了，不过多一把也不嫌多。

我就这样在沙滩上站了很长时间，为大家提供阴凉的空间。说实话，这活儿可不怎么好干！一开始，我觉得又累又无聊。不过所有的事情都是有利有弊的。很快，我就习惯了做一把遮阳伞。阳光暖暖地洒在我身上，好舒服呀！我体内的分子也在高速运行，让我顿时神清气爽。我慢慢懂了，为什么地球人这么喜欢晒太阳。

“小古斯，有你在真好！”布妈妈说。

除了当把遮阳伞，我还有别的活要干。第二天，我给布家人涂防晒霜。布爷爷还吵着让我和他下象棋。看来他对这玩意儿很着迷，不管下多少盘都乐此不疲。还记得第一次来地球的时候，我就和他下过象棋。但他从来赢不了我。唉，地球人的笨脑袋瓜啊！每次我赢他的时候，他都会嚷嚷道："唉！小古斯，真是见鬼了！你怎么这么厉害！"

其实下象棋总是我赢，也没什么意思，最后我就让布爷爷也赢了一回。这下子可不得了了！布爷爷立马高兴得手舞足蹈起来。唉，他还真是个老顽童！

布鲁诺时不时地去买个冰激凌，布妈妈时不时地去海里游个泳。

布爸爸干脆把脸埋到报纸里，这可是他除了晒太阳之外，最爱干的事了。他想通过报纸，把一些新信息传送到脑袋瓜里。就像地球上的很多其他发明一样，报纸这一发明也算不上高明，既烦琐又浪费时间。不过，很多地球人都爱看，这可真是奇怪了。最后这两天，大家乐在其中，都很开心，很享受。

躺椅
太阳镜
意大利面
冰激凌
我变成了一把
遮阳伞
阴凉地
防晒霜

第21章　新口味研制成功

就在今天晚上，我准备出发了。

“我想看看你的太空车怎么起飞！”布鲁诺大声说。

“好啊，我凌晨三点半起飞。这个时间点，地球人都在睡觉，应该不会引起注意。”

“小古斯，一定要半夜三更起飞吗？”布爸爸问。看来，三点半起床对他们来说，还真是件很头疼的事。

“唉，这么早就要从床上爬起来，得定个闹钟才行！”布爷爷叹了口气说。

可惜地球人的大脑不能预先设定程序，否则就不需要什么闹钟了。闹钟到了预定时间就会响个不停，这样才能把地球人从睡梦中吵醒。

“不管你什么时候走，我们都会起来送你的！”布妈妈说，“我们要看着你离开。”

你看，布家人对我多好呀！

地球人的闹钟

“以后有机会的话，我想带你们去高尔奇星球逛逛。”我对他们说。

“我看，还是算了吧！”布妈妈说，“我有恐高症，连飞机都不敢坐。”

起飞前的几个小时里，我坐在浴缸里，写了点东西，还给杂志社编辑发了条信息。

：辑编的爱亲

！好都切一我

，成完满圆已务任

。回返刻即备准

。家大到见望盼

3Y

快三点时，我听到隔壁房间的闹钟响了。

“嗯，现在是时候了，准备出发！”我对机器人说，“没什么要你做的了，请进入待机状态！”

“明白！”机器人立即回答。

我把它缩成一丁点大放进背包，走出了浴室。

这会儿，布家老小都起来了，一个个揉着眼睛，看起来很疲惫的样子。

“都准备好了吗？”布爷爷问道。接着他张大嘴，打起了哈欠，我发现好多地球人困了都会这样。

“嗯，准备好了！”我说，“咱们去沙滩吧！那儿比较适合起飞。”

“哇，好酷！”布鲁诺说。

布家四口人陪我朝沙滩走去。这会儿沙滩上果真一个人影也没有。

“咦，小古斯，你的太空车呢？”布鲁诺好奇地问。

我把科索太空车所在的位置输进传输器：布家花园。

接着又输入我目前的位置：东经13.518度，北纬43.615度。两地相距约896千米。

“用不了一分钟，我的太空车就会来接我。”我告诉布家人。

58秒后，科索太空车顺利降落在沙滩上。落地的一瞬间，它立即变成了沙子的颜色，伪装得简直是天衣无缝！人们用肉眼根本就发现不了它。

“妈妈咪呀！”布妈妈喊道。

“好神奇！”布鲁诺惊呼。

“请稍微退后一点儿，太空车在启动时会喷出热气，扬起很多沙子。现在我要走了！很高兴能陪你们来到这个温暖的国家，希望我们不久再见！”说完，我就飞进了太空车。

布家人朝我挥着手，大声喊道：“旅途愉快！飞行愉快！小心黑洞！”

布家人真好，都这么热情，让我心里暖暖的。

我给太空车挂了自动挡，这样就不用我驾驶了。如果遇到紧急情况，太空车会及时把我叫醒。这可是我们技术部的新创意！

我把机器人从背包里拿出来，放到我旁边的座位上。它现在还处于待机状态。看到机器人，我又情不自禁地想

离开地球

起了侯悠。

很快就要回到高尔奇星球了，好激动呀！

听着美妙的高尔奇音乐，我不知不觉地进入了省电模式。我就这样舒舒服服地躺在驾驶座上，脑子里什么都不想，只需尽情地享受着这一切。

一路飞行很顺利！就在快到高尔奇星球时，太空车发出了嘟嘟声，提醒我马上就到家了！

太空车悄无声息地穿过稀薄的大气层，掠过电磁发射台的上空，顺利降落在停车场。

我腋下夹着机器人，走出太空车，飞向安检处。按照惯例，我要先去那儿做个检查，看看有没有携带病毒或者细菌。一切正常。接着我还要去光波室扫描一下，看看体内有没有负电波。这也是我们技术部的一项发明。这样可以避免人们从别的星球带回负能量，污染高尔奇星球。

进了光波室，我躺在扫描仪下面，光很刺眼，我本能地闭上眼睛。扫描仪扫过我的身体时，我感觉浑身好痒。扫描完毕，一切正常！现在我终于被放行了！

我要做的第一件事就是去侯悠那儿，把机器人还给她。

“嘿，Y3！怎么样？旅行还顺利吧？”她亲切地问我。她看起来很高兴的样子。我把机器人递给她，说：“这下可以物归原主啦。你别说，它后来还真帮了我大忙。这次我又带回来很多上等的食物配方。”

侯悠接过机器人，朝隔壁房间走去，我也跟着她走了进去。在这个房间里整齐地摆放着很多机器人，都是侯悠自己设计的。

她把机器人插到充电器上，这时我听到机器人生硬地说：“准备格式化硬盘，恢复出厂设置！请确认！”它头上第一次亮起了蓝色的灯。

侯悠的机器人

“好的！”侯悠回答，说着她按了一下充电器上的一个按钮，转过身来对我说：“很高兴你能平安回来！这次任务也不容易吧？”

我又说起了沙滩上的那只狗，她翘起鼻子，头上的触角也跟着动了起来。她说：“真抱歉！我改天升级一下机器人。”

“嗯，好的。还有它的激光实在太厉害了，连我也差点被它杀死了。”

“知道了。这也是迫不得已，万一有突发情况，我希望它能保护你。很高兴，你总算把一切都摆平了。”

“你其实……该早点告诉我密码。”我支支吾吾地说。

“是我不对！请原谅！”她回答，“我把这事儿给忘了。要不让我弥补一下？”

我不假思索地脱口而出：“我计算出了意大利面增味剂的化学方程式，打算先制作一点试试，加到披油里面。弄好了之后，想请你帮忙先尝一下，看看味道怎么样。到时候你一定要到我家来哟！”

以前，我从未邀请过她，这次机会终于来了，可不能错过了。我知道，这次她肯定不会拒绝的。果然，她立马答应了我的请求：“好呀！非常乐意！要是调制出了新口味的披油，告诉我一声，我就到你那儿去尝尝！”

我开心地离开实验室，直奔分子厨房飞去。我想立马动手，好让她快点儿尝尝我的手艺。

在路上，我碰到了Y9。他一副闷闷不乐的样子，看到我也没打招呼，就装作没看见，赶紧拐了个弯朝编辑部走去。

哼！不说话正好！我还懒得和你说话呢。

飞进厨房，我看到了同事Y8。他正从保温箱里拿出一瓶福谷物。

“看到没，Y9这下子是真火了！”他对我说，“你知道是怎么回事吗？哈哈，他按照你发回来的烹饪方法做了披油送给编辑吃，想讨好她来着，没想到做得很失败，编辑吃了闹肚子，还去了趟医院。幸亏去得及时，编辑这才没出什么大事。否则的话，我看Y9就要吃不了兜着走喽！”

“噢，好险呀！”我吃惊地喊道，“真是谢天谢地！”

和我预料的一样，Y9真拿我给他的臭拖鞋数据，兴致勃勃地做起了菜。哈哈，不难吃才怪呢！

想到这儿，我又笑了笑。

“Y9对厨艺一窍不通！”我说，“这次只是给他的一个小小的教训罢了。”

“嗯，我也是这么想的。”Y8大声说，“让他钻到那堆数字里去吧，我看他数数倒挺在行，每次都把人搞得晕头转向的！要论起厨艺来呀，Y3，我看没人能胜过你！”

“没错！”我连忙回答。

机器人弄到的意大利面配方还存在我的硬盘里，我赶紧把这些数据传到了接收器里，接着从保温箱中拿出一块披油，放在了实验桌上。

我紧张地忙碌着，两小时过后，最新款披油终于新鲜出炉了！我忍不住尝了一口。哇，好棒呀！我还从没吃过这么好吃的披油。相信编辑这次肯定会喜欢！下次开会时我要多弄点，给大家一个惊喜！

我把一大块意大利面味披油放进食品罐里，严严实实地封好。这是给侯悠精心准备的。

接着我离开厨房，飞到了外面。像往常一样，我的飞行器还在原地等着我。现在终于可以回家喽！

意大利面味披油

第22章　完美到家

我的飞行器滑行在磁悬浮光能轨道上。我越过黄色的河，飞过黑色的森林，森林旁边是美丽的紫色田野，我的心也跟着飞扬起来。不一会儿，我就拐进了黑色平原。离家不远了，回想这次旅行，一切还算顺利：

1. 美味的意大利面味披油新鲜出炉。

2. 编辑对我绝对百分百满意。

3. Y9的脸色更难看了。

4. 侯悠终于答应来我家了。

黑色平原上，停着很多飞行器。平原上方飘浮着一些小屋，正搜寻着合适的降落地点。许多卫露牌踏板车和太空投掷舱时不时地从我头上掠过。唉！这里的交通真是越来越拥挤了，也没人来维持一下秩序。都说我们素质高，非常自觉，不需要什么交通法规，依我看有时候未必这样！

太空车准确降落在屋顶上。我走进屋子，用鼻子贪婪地吸着皮皮草的香味。这种草拥有很强的正能量，所以我在屋子里的每个角落都放了很多。

和往常一样，我的机器人小马莫步坐在一束光线上，用甜蜜柔和的声音问候我：“……切一对面观乐你愿！你着耀照远永光的上球星奇尔高愿！天一的好美有你愿。你到见次再兴高很！家回迎欢”

“好啦！”我嘟囔道，“这些话我早就倒背如流啦！”虽然机器人每次说的都一样，但我还是觉得它真的好可爱！

我对它说：“！容笑的般葵日向有都天每你愿”

我把背包挂到门后面的衣钩上，走进了“惬意厅”，在那儿洗了个星星浴。这是我的老习惯了，只要是长途旅行，一回来我必定先用小星星冲个澡，好让自己清爽一下。

星星浴的效果真不错，我立马就像换了个人似的。洗完后，我神清气爽地走进了“水晶厅”。

现在我要给杂志社美食专栏写篇报道，好尽快和读者分享一下我这次的地球之旅。

我简单地写了一下我和布家人一起去意大利度假的经过，还提到了机器人马克波特分析的地球食物，最后附了几张照片和三份经典意大利面的配方。

机器人失控这件事，我在报道中只字未提。

机器人是侯悠设计的，我可不想让这件事影响到她的工作。当然，我更不想让Y9那个坏家伙看到我的悲惨遭遇，自个儿偷着乐。

写完报道后，我飞进了主厅。因为我一直都是一个人生活，所以房子也不大。虽说是主厅，也不是特别宽敞，不过对我来说倒也足够了。我把里面布置得既温馨又惬意。

从天花板上垂下一些白色的植物，这是很久以前我去6769G星球时带回来的。我把它栽到了一个漂亮的花盆里。在我的悉心照料下，它生长得很快。每次我走进房间，它都会伸长枝蔓问候我。

我在天花板上装了很多灯。“开灯！”我一声令下，灯顿时全亮了起来。五彩缤纷的灯光像一个个小精灵，在房间里跳着欢快的舞蹈。灯光照在镜子上，又反射回来，整个房间立马就成了光的海洋。

天花板上除了灯，还有七个撒星器。

“小星星，齐步走！”我冲着撒星器喊道。刹那间，数不胜数的小星星从天而降，落到透明的水晶地板上，溅起无数金色的小火光。

挂在墙上的屏幕能从各个角度播放银河影像的视频，让我仿佛又置身于浩瀚广袤的宇宙中。

我激活了两把悬浮椅，把圆圆的水晶桌从天花板上放下来，我要让侯悠坐在这儿，品尝我新研制出的意大利面味披油。

我还从地板下面的玻璃储藏柜里拿出了两只碗。它们是用小行星上的金属做成的，既精致又漂亮。其实，这种碗我只在非常特别的场合才会拿出来用。

我把碗轻轻地放在桌子上，拿起食品罐，把披油倒进了碗里。

最后我又环视了一下整个房间。嗯，不错，布置得天衣无缝！我心满意足地坐在悬浮椅上，从口袋里掏出无线电收发机，按下了侯悠的号码。

我期待侯悠的到来。

图书在版编目（CIP）数据

高尔奇星球：机器人失控 /（德）埃哈特·迪特尔著；王丽丽译．—南京：译林出版社，2022.1（2025.4 重印）
ISBN 978-7-5447-8856-4

Ⅰ.①高… Ⅱ.①埃… ②王… Ⅲ.①儿童小说－长篇小说－德国－现代 Ⅳ.①I516.84

中国版本图书馆 CIP 数据核字（2021）第 202203 号

著作权合同登记号　图字：10-2021-471号

高尔奇星球：机器人失控　［德国］埃哈特·迪特尔 / 著　王丽丽 / 译

选题策划　高谈童书馆
责任编辑　王　维
特约编辑　宣慧敏　吴雪琦
装帧设计　陈忆航
插图作者　[德国] 埃哈特·迪特尔
校　　对　孙玉兰
责任印制　单　莉

出版发行　译林出版社
地　　址　南京市湖南路 1 号 A 楼
邮　　箱　yilin@yilin.com
网　　址　www.yilin.com
市场热线　025-86633278
排　　版　南京展望文化发展有限公司
印　　刷　安徽新华印刷股份有限公司
开　　本　889 毫米 ×1270 毫米　1/32
印　　张　5.5
插　　页　4
版　　次　2022 年 1 月第 1 版
印　　次　2025 年 4 月第 3 次印刷
书　　号　ISBN 978-7-5447-8856-4
定　　价　35.00 元